CORÍN TELLADO

Un hombre y una mujer

punto de lectura

Tel

Título: Un hombre y una mujer
© Corín Tellado, 2002
© Ediciones B, S.A.
© De esta edición: octubre 2002, Suma de Letras, S.L.
Barquillo, 21. 28004 Madrid (España) www.puntodelectura.com

ISBN: 84-663-0873-3
Depósito legal: M-34.062-2002
Impreso en España – Printed in Spain

Diseño de colección: Ignacio Ballesteros

Impreso por Mateu Cromo, S.A.

Uno

Jusepp Lemaire contempló de nuevo el rostro un tanto pálido de su esposa, que, ladeado sobre la almohada, parecía más de cera que de carne, y agitó la cabeza con abatimiento. Después, una débil sonrisa entreabrió los labios de la esposa y los dedos ásperos y duros de Jusepp rozaron la carita infantil de su hijo menor.

—Se parece a ti, mi querido Jusepp —susurró la voz femenina.

—Igual dijiste cuando nacieron los otros dos, Alicia. Aunque nunca con tanta justicia como en este instante en que mi pequeño León nos sonríe dulcemente.

—Si yo me muero, Jusepp…

—No digas eso, Alicia —inclinó su cuerpo ancho y fuerte hacia delante y tocó con sus dedos ásperos las mejillas macilentas de su esposa—. Tú no puedes morir, mujer. Tenemos tres hijos, Ali, y debemos vivir para ellos.

—Es una carga demasiado pesada para ti, mi querido Jusepp. Pero Nemie ya es casi una mujercita y te ayudará a criarlos. Ten confianza en Nemie. Tiene siete años pero razona como una mujer.

—Oh, cállate, me haces daño, Alicia.

—Nunca los alejes del castillo, Jusepp —añadió la esposa como si presintiera la muerte—. *Lady* Cutlar los ama y siente por ti un gran afecto. Quisiera que León fuera más tarde tu continuador y que Nemie ocupara el lugar de doncella cerca de nuestra ama. Tú sabes, Jusepp, que Nemie es dispuesta, delicada y bondadosa. No sufrirá vejaciones en el castillo porque todos la aman, y lejos de él se verá obligada a trabajar excesivamente para su fragilidad de mujer. Oh, Jusepp, no me llores. Tal vez no muera ahora, más debemos estar prevenidos, mi querido Jusepp.

—Calla, calla.

—Cuida de Perla, querido. Es la más frágil de todas. Y tiene un carácter demasiado altivo para su condición humilde. Hay que frenar el ímpetu de Perla, Jusepp. Sus diez años pendencieros y soberbios me dan mucho que pensar. Perla no es adaptable como su hermana. Nunca debiéramos consentir que la prohijara *lady* Cutlar. Tal vez se cree la dueña absoluta del castillo. Ahora vive en las nubes, pero el día que su vanidad se desmorone, será un golpe demasiado duro para su condición de mujer. Aconséjala, Jusepp. Cuida de que comprenda las cosas y los motivos por los cuales vive ahora en el castillo. Por otra parte, el heredero es demasiado orgulloso, Jusepp. No se parece a su madre. El pequeño *lord* Lawrence es altivo y déspota, como todos los de su rango… Y temo que, algún día, Perla reciba el azote de su orgullo y un desprecio que no merece. —Hizo una pausa y su mano flaca y pálida alisó maquinalmente los cabellos empapados en sudor—. Yo nunca fui partidaria de ceder a Perla. Puede ser heredera de una pequeña dote, pero Nemie no la tendrá y probablemente sea tan feliz o más que su hermana. Yo no quise que *lady* Cutlar la prohijara, pero tú, Jusepp, no querías contrariarla y tal vez ello redunde en perjuicio de tu hija.

—No te agites, ahora, mi querida Ali. No pienses en esas cosas. *Lady* Cutlar es buena y ama a Perla como si realmente fuera su propia hija, la hija que ha muerto y que jamás podrá recuperar.

—No me aflijo por el daño que *lady* Cutlar pueda causarle, tú lo sabes, Jusepp. Es por lo que puede venir. Por ese pequeño y ya tirano *lord* Lawrence que ocupará un día el lugar que hoy ocupa su madre. ¿Y después, Jusepp?

—Oh, cállate, por favor. Son cosas que están muy lejos aún. No debemos pensar en ello. —Se inclinó hacia delante y puso, sus labios en las mejillas demasiado frías—. Ahora tengo que marchar, Ali. Ha llovido esta noche y el jardín me espera. El chaparrón estropeó plantas y macizos, y esta noche hay recepción en el castillo.

—Vete, Jusepp. Yo no podré levantarme, pero cuando despierte Nemie, le diré desde la cama lo que debe hacer para vuestro almuerzo.

—No te agites, Ali. La cocinera del castillo dijo ayer, cuando vino a verte, que fuéramos a comer todos allá. Deja que Nemie corra por el parque. Es demasiado niña para obligarla a trabajos impropios de su edad.

Besó fervoroso las manos que se tendían hacia él y con las lágrimas prendidas en los párpados, Jusepp Lemaire salió de su casita enclavada en un rincón del inmenso parque cuando el sol apenas si asomaba débil y pálido en un ángulo del inmenso firmamento cuajado de pequeñas nubes blanquecinas.

Con la herramienta en la mano, Jusepp caminó lento y pesado en dirección al jardín. ¡Todos los días, todas las semanas y todos los años igual, exactamente igual que aquel día! Pero antes tenía el consuelo moral de su esposa que, ágil y viva, le ayudaba en su trabajo, disponía la comida, lavaba a los niños. ¡Y Alicia se iba! ¿Para qué engañarse? Él lo sabía y, por si lo dudaba, la noche anterior se lo había participado clara y terminantemente el médico del castillo.

Miró en dirección a la gran mole de piedra dura y parduzca. Altivo y señorial se alzaba el castillo en mitad del inmenso bosque. Era grande con sus torres, sus terrazas y sus anchas escalinatas de mármol negro. El castillo de Cutlar era uno de los más antiguos de Inglaterra. Sus dueños, linajudos personajes tan antiguos como la misma vida, imponían a Jusepp. Pero amaba a la dama callada y suave que los protegía bajo su mano de mujer poderosa.

Agitó la cabeza y se inclinó sobre un macizo.

De súbito oyó un grito agudo y, soltando la herramienta, corrió enloquecido hacia la casita. En la puerta estaba Nemie. Menuda, frágil, lindísima, con sus ojos pardos, sus dientes diminutos y los labios apretados con desesperación.

—¡Nemie! —gimió el hombre, con la cabeza hundida sobre el pecho—. Oh, mi querida Nemie.

—Ella cerró los ojos, papá, ¿sabes? Ha muerto.

Un grito desgarrador y Jusepp, aquel hombretón fuerte que parecía invulnerable al dolor, siguió corriendo hacia la estancia, se precipitó sobre el cuerpo de su mujer y sollozó como un niño.

—Nos has dejado solos, Ali —musitó entre sollozos—. Solos cuando más te necesitábamos.

La casita se llenó de criados del castillo. Vino Perla con los ojos muy abiertos, verdes, soberbios. Vino también la misma *lady* Cutlar y hasta el estirado heredero, que contemplaba la escena con cierta indiferencia.

Jusepp, sentado en una silla, con el rostro entre las manos, sollozaba como una criatura. A su lado, con León en brazos, Nemie permanecía muy quieta, muy silenciosa, pero los ojos, aquellos espléndidos ojos pardos, permanecían asombrosamente secos.

Había mucha agitación en la casita. Perla, junto a su madre, lloraba a gritos, desesperadamente. Cauteloso, Lawrence Cutlar se aproximó a la hija del jardinero. La miró con curiosidad. Era un muchachote de catorce años, largo, feo y con los cabellos enmarañados, crespos como las púas de un cepillo de dientes.

—¿Y tú no lloras, Nemie? —preguntó con curiosidad, mirando a la niña.

Esta elevó la maravilla de sus grandes ojos y una tenue sonrisa distendió sus labios.

—Yo no.

—¿Por qué, Nemie?

—Porque siento igual. ¿Por qué voy a llorar? Mi llanto produciría a papá un dolor mayor. ¡Y ya está bastante dolorido!

—¿Es que puedes contener el deseo de llorar, Nemie? —pregunto de nuevo, terco y despiadado.

—No es que lo contenga, Lawrence, es que no tengo deseos de hacerlo.

—¿Nunca has llorado?

—Nunca. Siento un dolor aquí —murmuró inocentemente, señalando el corazón—, pero no puedo llorar.

—¿Y por qué? —insistió el.

—Porque no puedo. Además, las personas que lloran son débiles, y mamá siempre decía que yo era fuerte.

—¿Fuerte tú? —chilló Lawrence con burla—. Si eres frágil como una florecilla.

—Mamá se refería a la fuerza del espíritu.

—¿Y sabes tú acaso lo que es el espíritu?

Nemie abrió los ojos desmesuradamente y se quedó suspensa. Había una gran congoja en su faz. Una crispación horrible en su boca. Estaba sufriendo mucho aquella criatura, pero Lawrence no se percató de ello.

—No, no lo sé —confesó calladamente—. Pero es igual. Mamá lo decía.

—¡Aaah! —desdeñó Lawrence, propinándole un puntapié—. Eres una niña estúpida e ignorante.

Y se fue al lado de Perla, a quien consoló a su modo.

Todo había pasado ya. En el castillo no se celebró la recepción anunciada, mas dos días después dieron una gran fiesta, como si el dolor de Jusepp ya hubiese desaparecido. Y Jusepp, hundido en la silla junto a la ventana, tenía los ojos clavados en la noche, en dirección al recinto donde estaba ella. Su dolor era infinito pero nadie lo comprendía así. ¡Qué sabían ellos! Aquella fiesta estruendosa en el parque producía en Jusepp un amargor indescriptible. Por allí había pasado ella dos días antes para no volver jamás, y en el castillo la vida continuaba plácida y amable, como si su dolor ni tuviera razón de ser. ¡Su dolor…!

«Hay que resignarse, Jusepp.» ¡Resignarse! Como si ello fuera posible.

—¡Papá!

—Cuida mucho de tu hermano, Nemie —dijo el padre, sin levantar la cabeza—. Si yo algún día os falto, ve a ver a *lady* Cutlar. Ella os ayudará.

Nemie saltó del lecho y fue a acurrucarse en la piernas largas y fuertes.

—No puedes faltarnos, papá. ¿Qué sería de León?

—¿Y de ti, mi querida Nemie?

La niña movió la cabeza.

—Eso no importa, papá. Sólo importan León y Perla.

—Perla ya está situada. Faltas tú, Nemie. Y León será hombre algún día. La más necesitada de cariño y apoyo eres tú, porque eres también la más resignada y la más noble. Te pareces a ella, Nemie; por eso yo te quiero tanto.

Hablaba calladamente, mientras acariciaba la cabeza de cabellos muy negros de la pequeña. La música llegaba clara y vibrante hasta ellos. Nemie, por primera vez, sintió que algo humedecía sus ojos y se preguntó si no sería tan fuerte como aseguraba su madre.

—Si yo os falto, Nemie, tu irás al castillo…

—No, papá. Quiero quedarme a tu lado. Tú no puedes faltar nunca.

Los labios de Jusepp se entreabrieron en una débil sonrisa extraña. Enmarcó después el rostro de Nemie entre sus manos y lo alzó.

—Sé siempre fuerte, Nemie —dijo despacio—. Fuerte y bondadosa. Nunca dejes de ser buena, Nemie.

—¿Por qué hablas así, papá?

—Escucha, Nemie. Eres muy pequeña y no comprendes ciertas cosas, mas yo debo abrir tu inteligencia porque es mi deber. No sé por qué te hablo así. No lo sé yo, ¿cómo quieres que te lo explique a ti? Siento como si la casa se me cayera encima, como si tu madre estuviera aquí y me reprochara mi inmovilidad. Tengo deberes, Nemie. Deberes para con vosotros. Y no puedo consumirme en este rincón de Inglaterra. Debo salir, trabajar, ganar dinero. Aquí estoy vegetando. Antes estaba ella, ahora estáis vosotros; pero no es lo mismo. Yo quisiera que tú llegaras a ser una gran dama. Como *lady* Cutlar, como ella…

—¿Quién es ella, papá?

Los ojos de Jusepp se agitaron. Miraron a lo alto y sus labios se movieron.

—Perdona, Ali. Nemie debe saberlo y es mejor que lo sepa ahora.

—¿Qué dices, papá? ¿Por qué hablas con mamá, si no te oye?

La mano de Jusepp, ancha y grande, cayó sobre la cabeza infantil y la acarició una y otra vez.

—Mamá siempre me oirá, Nemie. Ella está en el cielo oyéndome y mirándonos. Me refería a Perla, Nemie.

—¿A mi hermana?

—No es tu hermana, Nemie —declaró Jusepp con voz bronca—. Es hija de una mujer que murió… Tú no puedes comprender estas cosas, Nemie. Te lo digo porque el azote de la humillación quizá te aprese en la persona de Perla, y no quiero que lo soportes pensando que es tu propia hermana quien te azota. Ella tampoco lo sabe, pero algún día lo sabrá. Es una Cutlar, Nemie. Es una Cutlar como *lord* Lawrence y como su madre. Nació un día cualquiera tres años antes que tú. *Lady* Cutlar la trajo aquí y después la llevó… Es hija de una hermana de *lady* Cutlar, que murió en el destierro…

—¿Y eso qué es, papá?

—Sólo quiero que sepas que no es tu hermana y que guardes siempre el secreto. Y ahora, Nemie, vas a llevar a *lady* Cutlar una carta. Una carta que yo escribiré esta noche.

—¿Y debo llevarla ahora mismo, papá?

—No, Nemie. Ahora te acostarás. Y mañana, cuando te levantes, lleva la carta y a tu hermanito en brazos. Yo me iré de viaje mañana y no estaré.

Dos

Lawrence se topó con Nemie en el jardín.

—¿Adonde vas, Nemie? —preguntó soberbio.

—A ver a *lady* Cutlar.

—Es casi seguro que mi madre no tiene deseo alguno de verte a ti.

León agitó sus menudos bracitos y Lawrence soltó aquel «¡Aaahh!» tan característico y tan repulsivo.

—Es un niño endeble y morirá como tu madre. ¿Sabes, muchacha? Todos debierais morir. No os necesitamos para nada en el castillo. Nos basta Perla.

—¡Perla!

—Sí, sí. Digo Perla. No se parece a vosotros. ¿Sabes lo que es tu padre? Un gusano del jardín, y tu madre…

—El cuerpecito de Nemie se agitó.

—No hables de ella, Lawrence. Mamá era una mujer muy buena.

El heredero se aproximó lento e inclinó la cabeza hasta rozar con sus cabellos el rostro pálido de la niña.

—Tu madre está bien muerta. Ojalá muriera también tu padre. ¿Sabes lo que yo haría después con tu carita dulce? La aplastaría así.

Y pisó fuerte sobre el césped, alejándose luego majestuoso y soberbio.

Nemie, con los labios muy apretados, lo miró por espacio de una fracción de segundo. Después agitó su linda cabeza de muñeca de bazar y ascendió por la escalinata de servicio.

—¿Qué deseas, Nemie? —preguntó amablemente el ama de llaves, que quería a Nemie entrañablemente.

Cierto es que a Nemie la quería todo el mundo en el castillo. La misma *lady* Cutlar amaba a aquella linda muñeca de carne que tenía el sentido común de una damita. Era dulce Nemie, dulce, buena, cariñosa, y no se alteraba jamás, todo lo contrario que su hermana Perla, que era altiva, fría y déspota, como… el mismo *lord* Lawrence.

—Traigo una carta de mi papá para *lady* Cutlar.

—*Lady* Cutlar duerme aún, Nemie. Pero ven hasta la cocina. ¿Has desayunado?

—Mi hermanito no.

—¿Y tú, Nemie?

La nena se sonrojó.

—Ven —murmuró la mujer, enternecida—. Vais a desayunar los dos.

La condujo a través de la estancia y después ambas perfilaron su figura en el umbral de la cocina. Nemie había estado allí muchas veces, pero siempre, invariablemente, la impresionaba la agitación que reinaba en la cocina, donde muchos criados, llevando bandejas y otros utensilios, iban de un lado a otro, saliendo y entrando sin interrupción.

Al ver a Nemie todos corrieron hacia ella, le quitaron al niño de los brazos y la besaron.

—Eres un sol, Nemie —dijo, admirada, una doncellita—. Nunca he visto niña tan dulce y tan linda como tú.

Cuando Nemie estaba desayunando tranquilamente, unas manos delgadas y morenas asomaron por el alféizar del ventanal. Tras de las manos, asomó la cabeza enmarañada y después unos ojos burlones y crueles.

—Mira, Perla —dijo la voz del heredero—. Tu pordiosera hermana comiendo en la cocina.

La cabeza rubia de Perla asomó tras él.

—¡Abajo los dos! —chilló la cocinera—. Se lo diré a *lady* Cutlar tan pronto como se levante.

—Cállate, cotorra —chilló Lawrence, enfurecido—. Soy el amo y puedo hacer lo que me dé la gana. Y ten cuidado con lo que dices, si no quieres salir disparada hacia el cementerio.

La cocinera iba a protestar, pero el ama de llaves, que entraba de nuevo, le hizo un gesto significativo

—*Lord* Lawrence debe ir al gimnasio. Lo espera el profesor. Y la señorita Perla a su estudio.

—Será si nos da la gana.

—Milord es descarado —comentó pausada el ama de llaves.

—Ten cuidado con lo que dices, Ketty. No olvides que soy el amo.

—Milord está en su derecho al reprenderme.

—Así está mejor. —Miró a Perla y sonrió. —¿Vamos, Perla?

Se fueron los dos.

Hubo un murmullo en la cocina y los brazos de la cocinera se agitaron desesperadamente.

—A callar —ordenó Ketty—. En realidad, dentro de muy poco estaremos todos supeditados a su tiranía, y justo es que ya nos vayamos acostumbrando.

—Cuando él venga ordenando yo no estaré aquí —dijo la cocinera, que era negra y gruesa y tenía un genio de mil demonios.

—Estarás, Neri. Claro que estarás. —Miró a Nemie, que las oía en silencio, y añadió dulcemente—: Vamos, Nemie, *lady* Cutlar te espera en su saloncito particular. Deja a León con las doncellas. Lo cuidarán bien.

Lady Cutlar tendría a la sazón unos cincuenta años, o quizá menos, a juzgar por la tersura de su piel, que contrastaba con los cabellos grises. Al ver a Nemie se levantó. Era alta, muy esbelta y vestía un elegante salto de cama. La estancia era lujosa, con un lujo que deslumbró a la figura infantil, cuyos ojos iban de un lado a otro buscando dónde apoyar su mano.

—Hola, Nemie —susurró la dama, bondadosa—. Siéntate a mi lado y dime lo que deseas de mí.

—Traigo una carta de mi papá.

La dama frunció el ceño.

—¿De tu papá? ¿Dónde está Jusepp?

—Ha salido de viaje, milady.

—No creo haberle dado permiso, Nemie.

La niña se sonrojó.

—Dame la carta. Veamos qué se le ocurre a tu padre.

La niña extrajo un sobre del bolsillo de su delantal y se lo entregó a la dama. Esta leyó. A medida que leía, su ceño se fruncía más y al fin, arrugó la carta entre sus dedos, miró a Nemie, después a lo lejos, y de nuevo posó los ojos en el pliego, que desarrugó con cierto nerviosismo. La carta decía así:

«Respetada milady:

»Cuando mi hija Nemie le entregue este sobre, yo estaré lejos. Me voy, milady. Ruego a usted me perdone. La casa donde viví con Alicia se me hace insoportable ahora que ella me falta. A usted le confío mis dos hijos. Espero, milady, que sepa pagar el bien que en otra ocasión le hice. Recuerde, milady, que cuando mi mujer trajo al mundo un ser muerto, usted me buscó para engañar a mi propia esposa. Ella se fue sin saber que Perla no era su hija. A raíz de entonces mi esposa enfermó. Hubo otra niña, pero esto no bastó para que yo olvidara el dolor que me produjo aquel, otro que nació muerto y en cuyo lugar milady y yo colocamos a la hija de... Perdone, milady. Mi condición de servidor de su casa no me da derecho a exigir una recompensa en pago a mi silencio; tal vez le parezca un malvado, pero no lo soy. Busco el bienestar de mis dos hijos, y es milady quien puede ampararlos. Sólo milady, y por eso yo recurro a ella. He dicho que mi condición de servidor no me da derechos, pero sí me los da mi condición de padre y, como padre, exijo amparo para mis hijos a cambio de mi eterno silencio.

»Algún día volveré. El poder del dinero es infinito, milady, y yo voy en su busca para dar a mi hija Nemie lo que le faltó a su madre. Muchas veces he intentado huir lejos, lejos, a buscar el remedio para mi esposa. No lo hice porque ella estaba aquí y yo la amaba, pero ahora... Milady cuidará de mis hijos mientras yo salgo al encuentro de la fortuna. No sé cuándo volveré ni si volveré siquiera. Cuide de mis dos pequeños. Se lo pido en nombre de la madre de Perla, a quien no conocí pero a quien usted lloró mucho tiempo. Y algo más, milady. Nemie es una niña de siete años, pero pronto será una mujer. Suponiendo que algún día la altivez de Perla, su sobrina, azotara la humilde condición de Nemie, y para evitar que esto pudiera ocurrir y mi hija se viera humillada por su propia hermana, le hice saber que Perla no tiene absolutamente ningún parentesco con ella Es una forma como otra cualquiera de evitar dolorosos sufrimientos que pudieran ser decisivos en la vida de mi querida Nemie. No tema, milady. Nemie es callada, comprensiva y razonable. Antes se dejaría matar que confesar lo que su papá le ordenó callar. Adiós, milady. Ruego de nuevo sea usted bondadosa con mi pequeña Nemie y tolerante para mi León. Respetuosamente, a sus pies.

»JUSEPP LEMAIRE.»

Un cúmulo de extrañas sensaciones parecieron gravitar sobre el rostro de la dama. Después, con lentitud, guardó la carta y dijo:

—Ve a la cocina. Di a Ketty que te conduzca al estudio de Perla. Desde hoy quedas a mi lado con tu hermano, mientras no regrese tu padre.

—¿Y cuándo regresará, milady?

—Aún ha de tardar, querida —murmuró la dama con extraño acento.

Minutos después, Ketty recibía órdenes privadas, y al mediodía, León, el pequeño León, que contaba pocos meses, fue convenientemente instalado en la terraza, al cuidado exclusivo de una doncella. A Nemie se le puso un vestido de Perla, se la peinó cuidadosamente y más tarde fue conducida al estudio de la altiva chiquilla de diez años, cuyos ojos verdes y grandes, tal vez demasiado grandes para su carita menuda, contemplaron a su hermana con extrañeza.

—Este es mi vestido, Nemie —dijo, depositando en las rodillas el gran libro lleno de letras grandes y claras.

—Me lo ha puesto la doncella de *lady* Cutlar.

—¿Te refieres a madrina?

—Así es, Perla.

—No me gusta que nadie se ponga mis vestidos —murmuró Perla, haciendo un mohín—. Los quiero conservar todos.

La vieja institutriz miró a Perla severamente y luego clavó los ojos en el rostro ideal y resignado de Nemie. Esta parecía entristecida, y sus grandes ojos melancólicos contemplaban su indumentaria.

—Diré a Leonor que me lo cambie por el mío. Además, éste es demasiado grande para mí.

—Harás muy bien, Nemie.

La institutriz intervino:

—La señorita Perla hará muy bien en no martirizar a su hermanita. Ketty ha dicho que Nemie quedará instalada en el castillo. Papá Jusepp ha emprendido un largo viaje del que se ignora el regreso.

—¿Entonces, voy a vivir aquí? —preguntó Nemie.

—Eso creo, Nemie.

—Lawrence te reñirá, Nemie —comentó Perla, con su lengua pastosa y altiva—. Dice que sólo me quiere a mí.

—¡Señorita Perla…!

—Lo ha dicho él.

—De acuerdo, pero el joven *lord* ignora aún lo que quiere. Y puesto que vais a vivir juntas, vuestro deber de hermanas es quereros mucho. Tú defenderás a Perla, Nemie, y ésta te defenderá a ti.

Ninguna contestó, y la institutriz decidió continuar la lección.

—Me estoy preguntando, mamá, qué nueva modalidad es ésta de recoger a todos los niños desamparados que llaman al castillo de Cutlar.

—Es una modalidad que persistirá aun despúes de mi muerte, Lawrence. No te olvides de que todos tus antepasados han dado albergue a los necesitados. Los hijos de Jusepp Lemaire vivirán en el castillo hasta que regrese su padre. Tenlo presente, porque, si yo falto algún día, deseo que jamás, por ningún concepto, los dejes desamparados.

Lawrence irguió su rostro altivo y desafiante y miró a su madre con extrañeza.

—Bien que los ampares, mamá; pero encuentro de mal gusto que les proporciones una educación similar a la mía. Admito de buen grado que Perla, que es tu ahijada, sea educada como corresponde a los Cutlar, por el mero hecho de ser protegida tuya; pero reconocerás conmigo que Nemie, como hija de nuestro jardinero, debe y tiene que ser adiestrada para formar parte de la servidumbre del castillo.

Las facciones de la dama se alteraron.

—Hay que ser más humanitario, hijo, Nemie es una niña exquisita y delicada, y sería una crueldad por mi parte destinarla a trabajos inferiores. Quizá nunca ocupe el lugar que ocupará Perla… pero, al menos, sí algo superior a una vulgar doncella.

—Exijo que sea inmediatamente postergada, mamá.

—¡Lawrence!

—Soy heredero del gran nombre de tu casa y no quiero en mi morada seres inferiores a mí, encumbrados estúpidamente por tu corazón bondadoso, que yo no comparto, desde luego, para hacer un bien que jamás te será recompensado.

El rostro de la ilustre dama se contrajo, esta vez con mayor dolor.

—No lo hago por recibir una recompensa, Lawrence. Quizá la he recibido ya.

—¡Tonterías! Me harás el favor, madre, de cuidar de que Nemie no sea puesta en mi mesa. Yo continuaré comiendo con Perla. —Bajó la voz y echó el cuerpo hacia adelante. —Quiero a Perla, ¿sabes? La quiero como si hubiera nacido en una cuna de encajes como la mía. Amo la altivez de Perla, su personalidad de diez años, su hermosura infantil y su carácter despótico. Y detesto, sin acertar a definir las causas que lo justifiquen, el carácter callado y serio de Nemie, su mirar melancólico y el dulce trazo de su boca resignada.

—Lawrence, no tienes derecho a hablar así. Eres un niño.

—Soy un niño que está entrando en la adolescencia, tú lo sabes muy bien. Además, me enseñasteis a ser el amo cuando apenas contaba la edad que tiene Perla ahora. Soy el continuador de mi padre, *lady* Cutlar, y tengo derecho, me lo da mi condición de heredero, a exigir que los hijos de Jusepp sean tratados en el castillo como requiere su condición inferior.

La dama inclinó la cabeza sobre el pecho y pensó. No se detuvo a pensar en el presente. Pensó furiosamente en el futuro y se dijo que no podía exigir de su hijo una promesa que luego él no cumpliría. Calló resignadamente y, cuando vio desaparecer la figura juvenil tras la puerta del saloncito, musitó una plegaria.

Aquella tarde, Nemie no fue conducida al estudio. León quedó en la terraza solito y callado, contemplando con sus ojos, inmensamente grandes para la cara diminuta, las nubes que bordaban el firmamento. No se le ocurrió llorar. Cuando vinieron a recogerlo y le dieron de comer en la cocina, elevó los brazos en torno al cuello de la negra cocinera y murmuró sollozante:

—Tata, tata…

—Me llama a mí —dijo Nemie, apareciendo en el umbral—. Démelo, Neri, Vamos a dormir juntos en una habitación de la planta baja.

Ketty y Neri cambiaron una mirada de inteligencia. La niña cargó con su hermanito y desapareció.

—¿Qué has observado, Ketty? —preguntó la negra con irritación.

—La mano del heredero ha hecho de las suyas ¿Sabes, Neri? No envidio la suerte de esta resignada criatura.

A la hora de la comida, a Nemie se le sirvió un plato en la mesa de la cocina, junto con las doncellas. Una que estaba destinada al comedor, al entrar y ver a la niña, quedó envarada en el umbral y dijo, enfadada:

—Esta mañana me dieron orden de añadir un cubierto en el comedor y ahora lo traigo de vuelta. ¿Qué significa esto, Nemie?

La chiquilla encogió los hombros.

—Tanto da, Susan. Prefiero comer aquí con vosotras.

Hacía mucho frío. Había nevado por la noche y el parque se hallaba cubierto de gruesos copos que poco a poco iban congelándose y crujían bajo los pies del nuevo jardinero, quien en aquel instante cuidaba de los parterres.

Nemie estaba en la terraza. Cubría su cuerpo con una chaqueta demasiado ancha para su cuerpo menudo y Neri le había puesto un gorrito de lana. Calzaba las mismas botas tachonadas que su padre había adquirido para ella en la ciudad, y sus manos ateridas de frío estaban enrojecidas.

En la puerta más alejada apareció Lawrence. Vestía una pelliza de piel, altas botas sujetando los pantalones de montar y una fusta en la mano, que agitaba una y otra vez con gesto soberbio. Cubríase la cabeza con una gorra de fieltro de ancha visera y llevaba en torno al cuello un pañuelo de colores. Acababa de cumplir quince años, pero su robustez permitía adivinar su futura arrogancia en un cuerpo esbelto y fuerte, y un rostro bello como el de Apolo. A su lado, la menuda figura de Perla, embutida en un trajecito de lana, chaqueta de cuero y altas botas, parecía más frágil y más bonita. Ambos contemplaban la nieve y parecían dispuestos a bajar al jardín. Lawrence vio a Nemie y, asiendo la manita de Perla, la condujo al lado de su hermana.

—Hola, hija de Jusepp —saludó el muchacho, despectivo—. ¿Por qué contemplas la nieve? Ese espectáculo no es propio para ti. Te vas a morir de frío dentro de ese vestido demasiado ligero. ¿Quieres calentarte? Ven con nosotros.

La empujó sin miramientos y Nemie se vio en mitad del parque en medio de los dos. Los ojos de Perla reían juguetones; los de Lawrence, con burla.

—Ven, vamos a hacer una estatua sobre tu cuerpo. Tú, Perla, acumula nieve bajo mis pies. Yo iré cubriendo el cuerpo de Nemie.

—No quiero.

—Vamos, ¿por qué no vas a querer, si lo mando yo? Eres uno de mis servidores, Nemie —chilló con voz de mando—. Y aquí los servidores están todos a mi disposición.

Y como ella, atemorizada, permanecía quieta y silenciosa, el muchacho procedió á cubrir el cuerpecito de Nemie con grandes copos blancos y helados Primero, Nemie temblaba; después dejó de hacerlo, y una gran palidez cubrió sus facciones humedecidas. Perla y Lawrence continuaban su labor indiferentemente. De vez en cuando, los ojos de Perla miraban lo poco que iba quedando al descubierto del cuerpecito de su hermana, suspiraba, sonreía y decía al fin, con acento ahogado:

—Estamos jugando, ¿sabes? Es un simple juego muy divertido. —Luego miraba a Lawrence, buscaba sus ojos y añadía bajito—: No le harás daño, ¿verdad? Es mi hermana…

—Sólo es una prueba, Perla —murmuró Lawrence con ojos brillantes de placer—. Esto quedará listo en seguida.

A Nemie ya sólo se le veía un trozo de cara muy pálida, muy asustada. Después, dos grandes copos le cubrieron la cabeza y Lawrence se puso en pie y sacudió la fusta.

—¡Aaah! Esto es una gran obra. ¿Sabes, Perla? Cuando me toque el momento de elegir una carrera, iré tras los cinceles. Quiero ser escultor.

Y sin tener en cuenta que Nemie se helaba bajo aquella capa espesa que sólo dejaba al descubierto la nariz, los ojos y la boca por medio de simples huecos, añadió, mirando a Perla:

—Quiero ser un gran escultor, Perla. Y después te esculpiré. ¿Sabes que pienso casarme contigo, Perla? Pienso hacerlo, sí, y llevarte lejos. Recorreremos el mundo y sólo vendremos aquí cuando tengamos deseos de descanso —la asió de la mano y prosiguió—: ven, tengo apetito. Jugaremos después en el desván. Esta tarde yo seré un forajido y tú una gitana desgreñada. —Sacudió los cabellos rubios de Perla y rió—. Sí. Así, Perla. Ya verás qué divertido.

Regresaban al castillo. Allá, en mitad del parque, quedaba una cosa menuda cubierta de nieve. Aquella cosa no se movía. Pero después, cuando ellos iban a entrar en la mansión, la cosa cayó, pero la nieve continuó cubriéndola…

—Es mi hermana, Law —dijo Perla, asustada—. Y se ha caído. ¿Vamos a buscarla?

—¡Bah! Déjala. Ya la recogerá el jardinero si tiene ganas. ¿Tu hermana? Bien, tal vez lo sea, pero yo no lo quiero así. ¿Me oyes, Perla? No quiero que seas hermana de Nemie. Tú eres un hada que apareció en el castillo hace diez años. ¿Sabes que tienes muy pocos años, Perla?

—Sí.

—Cuando me marche a Londres… ¿sabes que me voy a marchar? Me llevarán después a Oxford, y estudiaré en la Universidad. Cuando vuelva seré ya un hombre y me casaré contigo.

—Bueno.

—¿Lo juramos?

—Sí.

—Jurado, Perla. Serás mi esposa. Harás una lucida *lady* Cutlar.

Y se perdieron en el vestíbulo y luego, en las escaleras que conducían al desván.

Tres

Una doncella apareció en el cuarto destinado a la servidumbre cargada con el niño. Este sollozaba desesperadamente y sus bracitos se tendían hacia adelante, mientras gritaba, ronca ya la voz:

—Tata, tata, tata…

—¿Dónde se habrá metido esa criatura?

—No la he visto en toda la mañana.

—Estará jugando.

El chófer entró en aquel momento y oyó la respuesta de Ketty:

—Con ellos no está, puesto que *lord* Cutlar me llamó desde el desván pidiéndome un sable.

Neri se puso nerviosamente en pie.

—Vaya, será cosa de buscarla. Hay mucha nieve y ahora parece que vuelve a caer. Ve tú, Leonor, búscala en la galería. Llámala si no la encuentras.

Volvió Leonor minutos después.

—No está ni me contesta.

Los siete rostros se miraron interrogantes.

—Es extraño —comentó Ketty, asomándose a la ventana.

Miró hacia el exterior y observó que el jardinero sacudía un montón de nieve acumulado en medio del parque.

—Mira en qué se entretiene el nuevo jardinero. Jusepp Lemaire no hubiera perdido el tiempo de esa manera. ¿Eh? —exclamó de súbito.

Muchos rostros se pegaron al ventanal. Y de todas las bocas se escapó un grito de espanto.

Neri elevó los brazos al cielo y gimió:

—Los bandidos, los malvados… Pero si es Nemie.

Seis criados se lanzaron al parque como si los persiguiera el demonio y escaparan del mismísimo infierno. La doncella que acallaba los gritos desesperados de León lo abrazó estrechamente y besó una y mil veces el rostro dulce y tierno.

—Ningún niño debería quedar sin madre —susurró entre lágrimas—. Nadie, nadie de esta edad tendría que quedar sin el apoyo materno. ¡Pobres criaturas!

En el parque tenía lugar una escena macabra. La nieve era quitada del cuerpo de Nemie precipitadamente. Los ojos espantados del jardinero miraban a los criados sin saber qué decir ni qué pensar.

—Yo he visto a los tres niños jugando, pero creí que lo hacían con frecuencia.

—¡Esto es espantoso! —chilló Neri, sin responder—. Carga con ella, Jim. Llévala a la cocina. Hay que calentarla. ¿Está desmayada o muerta?

—Helada nada más.

Minutos después, el cuerpo de Nemie era palmeado una y otra vez cerca del fogón. Poco a poco, la niña parecía reaccionar y los colores volvían a su rostro. Abrió los ojos, sonrió, los cerró de nuevo y suspiró con fuerza.

—Para matarla, ¿eh? ¿Y si hubiese muerto?

—Calla, Neri. Envuélvela en una manta y llévala a nuestro departamento. Jim ya encendió la chimenea.

—Hay que decírselo a la señora, Ketty. Ve tú o voy yo. Esto no puede quedar así. Su hijo debe recibir un severo correctivo.

—¡Bah! —desdeñó Leonor, enfurecida—. La señora no se atreve a reñir al joven heredero.

No obstante, *lady* Cutlar se enteró y corrió hacia el departamento de la servidumbre. Jamás pisaba aquel recinto destinado a sus criados. Pero aquella mañana su majestad de reina apareció en el umbral, y los servidores se pusieron respetuosamente en pie, inclinando sus cabezas.

—¿Qué ha pasado? —preguntó, avanzando hacia el sillón próximo a la chimenea donde la niña, envuelta en mantas, parecía no haber salido aún del sopor en que la había sumido la nieve.

Acarició la cabeza de cabellos muy negros y se inclinó para besarla en la frente.

—El jardinero ha dicho que vio a las dos niñas jugando en el jardín con *lord* Cutlar… Luego apareció Nemie sola, milady.

—Llamen ustedes al médico y acuesten a la niña.

Acarició la cabeza de León con su mano ensortijada y después salió sin mirar a parte alguna.

Lo que sucedió en el salón particular de *lady* Cutlar lo ignoraron siempre los criados, mas nosotros, que estuvimos presentes, podemos referir la extraña conversación.

—Aproxímate, Law. Y tú, Perla. Venid los dos a mi lado.

El muchacho tomó la mano de !a niña y se aproximó a su madre.

—¿Sucede algo, mamá?

—¿Estás enferma, madrina?

—Nada de eso, Perla. Nemie ha sido hallada en el parque cubierta por una capa de nieve. ¿Puedes decirme qué sabes de eso, Law? ¿Y tú, Perla?

—Jugamos —repuso la niña.

Law no respondió.

—¿Has sido tú, Law?

—Por supuesto.

—¿Por qué lo has hecho?

—Me estorbaba Nemie. O sale ella de esta casa con su estúpido hermano o salgo yo. Elige, mamá.

La dama apretó los labios. Después miró a Perla, la atrajo hacia sí y susurró:

—Nos marchamos mañana, hijos. Nos iremos a nuestro palacio de Londres. El campo es muy aburrido.

A la mañana siguiente, Nemie se hallaba perfectamente bien. Pero aun así no se levantó. Ocupaba la cama paralela a la de Leonor y en aquel momento jugaba con León en la cama. Hacía mucho frío. La nieve cubría totalmente el parque y se acumulaba golosa y blanca en las junturas de los cristales de la ventana, dibujando caprichosos montoncitos que los ojos de Nemie miraban ahora con curiosidad.

Ante la gran escalinata de mármol negro se hallaba el automóvil de *lady* Cutlar lleno de maletas y bultos. Leonor y Ketty, así como James, el criado que se hallaba al servicio exclusivo del heredero, permanecían de pie junto a la portezuela. Otro coche más pequeño salió ahora del garaje, y Jim se apeó de él.

—¿Todo listo, Jim?

—Todo, milady.

—Perfectamente. Diga usted a la señorita Perla y a *lord* Cutlar que los espero.

La dama se acomodó en el auto y Leonor se inclinó hacia ella.

—¿Necesita algo, milady?

—Nada, Leonor. Tú y James iréis en el coche pequeño. No es preciso que salgáis ahora mismo. James nos adelantará igual. Y usted, Ketty, llame a Londres y anuncie nuestra llegada.

—Perfectamente, milady.

La joven pareja se unió a la dama y, sin mirar a los criados, entró en el auto. Después Jim se sentó ante el volante y el lujoso vehículo se perdió en el parque y luego en la carretera. Wewyn Garden City no quedaba muy lejos de Londres. Jim pensaba llegar a la capital a tiempo de comer.

—¿Lo has observado, Neri? —preguntó Leonor, bajito—. Ni siquiera preguntaron por ella. Y es su hermana. Y *lady* Cutlar recibió una carta de Jusepp donde éste seguramente le pedía que amparara a sus hijos cuando…

—No sigas, Leo —pidió Neri, mirando a los demás criados que continuaban alineados en la escalinata de la terraza—. En cierto modo —prosiguió burlona—, la señora no niega su amparo a Nemie y su hermanito.

—Un amparo muy relativo, Neri.

—De acuerdo, James —contestó Leonor—. Pero los grandes señores no tienen deberes para con sus inferiores. Nemie será algún día la doncella de su propia hermana, y León ocupará el lugar que un día ocupó su padre. Ya se encargarán *lady* Cutlar y su estirado hijo de adiestrar a Nemie en las faenas del castillo. No es el primer caso en la historia de la humanidad.

—Pero ¿y Perla? —murmuró otra doncella—. ¿Os habéis fijado en que ni siquiera preguntó por su hermana? La sangre, amigas mías, busca la sangre. Y ella ni siquiera tuvo la delicadeza de pensar en su hermana enferma.

—Son diez años, Susan. A esa edad se desconocen muchas cosas.

—De acuerdo, pero *lady* Cutlar no tiene derecho a separar a dos hermanas. ¿Qué sucederá cuando el día de mañana ambas sean mujeres?

—Lo que ha dicho antes Leo —opinó Ketty, que hasta aquel entonces había permanecido silenciosa—, será doncella de la propia Perla.

—¿Y eso no es monstruoso, Ketty? Dígame usted si hay derecho a enfrentar de ese modo a dos hermanas.

Ketty hizo un gesto vago y después miró todos los rostros uno a uno. Cuando llegó a James, susurró:

—Dígaselo usted, James. Lo ha presenciado igual que yo.

James se quitó la gorra y la manoseó nerviosamente.

—Son secretos que no nos pertenecen. Somos una gran familia bien avenida, Ketty. Usted lo sabe. Pero no respondo de nadie en esta época. Me gusta responder de mí mismo y por eso me hará usted el favor de perdonar mi silencio.

—¿Qué es ello, Ketty? —preguntó Neri, extrañada.

Ketty, que era la jefa de todos, pero que no ejercía su autoridad porque convivía con ellos y los amaba, sonrió, y, pasando la mirada por encima de muchas cabezas inclinadas hacia ella, murmuró:

—Aquella noche la esposa de Jusepp trajo al mundo a una niña muerta.

—¿Qué?

—¿Está usted segura, Ketty?

—¿Es la realidad o nos cuenta usted un trozo de folletín italiano?

—Cuento la verdad. Perla es tan Cutlar como el propio *lord*. James lo sabe muy bien, puesto que aquella noche, bajo los truenos y la lluvia, corrió muchos kilómetros en el auto para traer a la que luego dormiría en el lecho de Alicia Lemaire.

—¡No es posible, Ketty!

—Pues lo es. De todos modos, como Perla lo ignora, el delito de su olvido es imperdonable. Mas para la señora eso no tiene absolutamente ninguna importancia, ya que Perla nunca ha dejado de ser su sobrina. Hija de una hermana que se halla ahora en un convento francés. Creo que está claro, ¿no? Os lo hago saber para evitar los odios que puedan surgir en el futuro. Son secretos que no nos pertenecen, pero puesto que formamos parte de esta gran familia, justo es que el secreto lo sepamos todos. Y ahora cada uno a su trabajo. James y Leonor se irán en el auto. Nosotros quedamos aquí solos hasta sabe Dios cuándo. Tengo órdenes estrictas de adiestrar a Nemie en el manejo de la casa. No me han dicho que la educara como debe educarse una señorita que algún día hará un lucido papel en la sociedad. Nemie, queramos nosotros o no, será la doncella de Perla Cutlar. Eso es inevitable, amigos míos, tanto si nos duele como si no.

—Dios quiera que antes llegue Jusepp Lemaire.

—Pero no llegará —murmuró Neri, ahogadamente.

El grupo se dispersó. El pequeño auto negro, cargado de maletas, se alejaba levantando a su paso la bruma de la nieve. El gran castillo de los linajudos duques de

Cutlar quedaba allí, desafiante e inmutable, altivo y orgulloso como el propio Lawrence Cutlar.

Y los días transcurrieron callados. Pasó aquel invierno y después la temporada estival. Nemie crecía. Erguida, esbeltísima, morena y curtida. León dio los primeros pasos. Ketty encorvó un poco la espalda y los años siguieron su curso, implacables, silenciosos y lentos…

Uno, dos, tres, diez años transcurrieron llenos de ternura para la muchacha que aprendió a servir el té, que supo poner una mesa lujosa e inclinar la cabeza con una reverencia callada y elegante. Ketty la adiestró así. Pero Nemie, la Nemie de diez años antes, era ahora una mujer. Una mujer culta, distinguida, que igual servía para atender a una dama exigente que para lucir en un gran salón espléndidamente iluminado. ¿Quién había hecho el milagro? Una Ketty resignada, paciente y cariñosa, y un dinero que entre todos reunían cada mes para abonar las lecciones que un hombre proporcionaba a Nemie Lemaire y su hermanito León…

Y aquella noche, Nemie recibió la noticia. No hubo rabia en sus ojos pardos ni crispación en la boca palpitante y sensual que hablaba de besos y amores. Sólo una emoción extraña abatió por un instante sus pupilas, y el busto erguido y túrgido osciló tembloroso como si una gran opresión la impidiera respirar con amplitud.

—Los señores llegan mañana, Nemie —advirtió Neri.

Ketty, más encorvada aún, inclinó la cabeza hacia el pecho y susurró:

—Dios nos ayude a soportar lo que puede venir.

Cuatro

Todo continuaba igual. El parque cubierto por la nieve. Los macizos cuidados, simétricos, verdes y brillantes. Las terrazas cuajadas de flores. Los muros pardos, altivos y majestuosos. El bosque ondulaba a lo lejos más verde, más espeso, pero igual que diez años antes. En la escalinata de mármol negro, reluciente y suave, se alineaban los criados. Eran los mismos. Nadie había muerto. Neri, más negra, el cabello casi blanco, pero siempre sonriente y arrogante dentro de su gran humanidad. Ketty, encorvada, pero sus ojos bondadosos tan brillantes como siempre, como si el tiempo no hubiese transcurrido. Jim, lento y mudo. León, convertido en un muchachote de diez años, silencioso y serio.

—Falta Nemie —comentó Jim, con voz queda.

—Está poniéndose el uniforme, Jim —repuso Ketty, entristecida—. Es la primera vez que se lo pone. He recibido instrucciones al respecto en una carta llegada ayer… Ha de ser duro para Nemie, pero nuestra muchacha tiene espíritu de sacrificio y no le resultará demasiado penoso.

Hubo un silencio; después, un murmullo de admiración contenida, como si todos temieran molestar a la muchacha que ahora se perfilaba en el umbral de la puerta principal del castillo..

—Estás muy bonita, Nemie —ponderó León, pausadamente—. Más bonita que antes.

—Estás muy bonita —repitieron a coro, seis bocas casi silenciosas—. Muy bonita.

Nemie Lemaire avanzó. Gentil, de una esbeltez extraordinaria, parecía que su cuerpo ondulante y mórbido se perdía dentro del uniforme. Parecía que se insinuaba y se adivinaban sus formas escultóricas, cálidas y suaves dentro de la tela fina de aquel traje que se ponía por primera vez. Los ojos pardos miraban sonrientes, un poco melancólicos, pero confiados y seguros como si nada de lo que pudiera venir le interesara. Era una mirada indiferente y cálida al mismo tiempo. Sus pupilas siempre secas tenían un brillo metálico, dulzón, suave. Había en aquella mirada y en el dibujo delicado y exquisito de su boca húmeda un extraño atractivo exótico, profundo, serio y coquetón a la vez. Aquella mirada hablaba de ansias contenidas, y aquella boca de besos cálidos que no había recibido aún, pero que recibiría sin duda alguna. El cabello negro de reflejos azulados enmarcaba la faz tersa, delicada como pétalo de rosa. Estaba bronceada por el sol y el aire de la nieve, y tenía algo, algo que atraía por su tono levemente oscuro y por la inefable dulzura de su rostro brujo, lleno de encanto y seducción. Se colocó al lado de Ketty y la anciana apretó cálidamente la mano que buscaba la suya. Las manos de Nemie también tenían un encanto imponderable. Eran delgadas, suaves, mórbidas, de uñas cortas, pero cuidadosamente conservadas. Aquellas manos parecían hablar un lenguaje mudo, el lenguaje delicado de su corazón exquisitamente femenino.

—Ten paciencia, Nemie. Algún día llegará tu padre y saldrás de todo esto —susurró la voz queda de Ketty.

—Quiero que vuelva —repuso la joven con su peculiar voz armoniosa—, pero no me interesa dejar esto, Ketty, si tú y ellos habéis de quedar aquí. Mi gran familia sois vosotros y yo nunca podré dejaros aunque vuelva papá. Todos os iréis conmigo.

La boca de Ketty dibujó una leve sonrisa un poco dolorosa.

—Los millones no se encuentran en las esquinas, Nemie. Si fuera así, todos seríamos millonarios. Pero yo no te dejaré nunca, mi querida Nemie. Iré contigo donde tú vayas y continuaré a tu lado como si fueras la hija que siempre quise tener y no he tenido jamás. Quiero que cierres mis ojos el día que me muera, Nemie. He soñado muchas veces con tus manos en mi cara y con tus labios en mi frente.

—No digas eso.

—Y he de decir aún más, Nemie. Eres dulce y resignada por naturaleza, pero no debes dejar ni permitir jamás que te pisen. Y ellos tratarán de pisarte, no sólo por tu condición, sino por tu hermosura, que es, ciertamente, extraordinaria.

La voz de Jim anunció con aspereza:

—El auto ha doblado el recodo de la carretera; dentro de unos minutos los tendremos aquí. León —añadió, mirando al muchacho—, cuando el auto se detenga frente a la escalinata, apresúrate a abrir la portezuela y di estas palabras: «Bienvenida sea milady y milord y la señorita Perla.»

—Sí, Jim. No tenías necesidad de repetirlo. Me lo estás enseñando desde ayer noche.

—Pues no lo olvides. Es muy importante.

La mano de Nemie tembló entre las de Ketty.

—Sólo siento que Perla no sepa la verdad.

Ketty la miró extrañada.

—¿La verdad? No digas tonterías, Nemie. Perla sabe que no es tu hermana desde que tiene uso de razón. Buen cuidado que tendría la señora de advertírselo. Ellos están prometidos, Nemie. Se casarán este invierno. Quizá vengan a casarse ahora. Y *lady* Cutlar jamás hubiera permitido que su heredero se casara con la hija de un servidor.

—Es cierto, Ketty.

—Tú la saludas como si no la conocieras. Usas el tratamiento, Nemie. No olvides jamás las enseñanzas que recibiste de mí. Sería humillante para ti que ellos tuvieran que llamarte la atención.

La mano de Nemie apretó más fuerte la de su protectora.

—Pierde cuidado, Ketty. Aprendí muy bien lo que me enseñaste, y no lo olvidaré nunca. Como nunca podré olvidar la instrucción que recibí y que no merecía por mi condición humilde.

—Ni una palabra de ello, Nemie —rogó Ketty, mirando hacia el auto que avanzaba lento y majestuoso por el parque cubierto de nieve—. Es un secreto de nuestra gran familia. La familia que formamos los criados. No debes jamás hacer ver lo que se oculta en tu cabeza. Has de aparentar que eres inteligente, pero jamás culta. El odio de *lord* Lawrence sería infinito y la ira de Perla te lastimaría…

La boca de Ketty se cerró bruscamente. El auto estaba detenido ante la escalinata. Otro avanzaba detrás. James se apresuró a abrir la portezuela del primero y Leonor

saltó del último. León, solícito y serio, abrió otra portezuela. Un menudo pie femenino saltó al suelo, y surgió
la figura bellísima de una mujer.

—Bienvenida sea milady y milord y la señorita Perla.

La mano de un Lawrence alto y fornido, pero de una
esbeltez distinguida, se alargó hasta la dama de cabellos
muy blancos y pies temblorosos que saltaba al suelo tras
su hijo.

Los tres estaban allí. Perla, alta, bastante más alta que
Nemie. Hermosa, rubios los cabellos, verdes los ojos altivos. Erguido el busto, firme la mirada y fina la cintura
aprisionada ahora por un cinturón rojo.

Nemie los miró. Hubo un destello raro en sus pupilas al clavarse en aquel hombre que la había enterrado
entre la nieve sin un átomo de compasión. Después sus
ojos quedaron inmóviles, tan quietos y serios que no parecían los de ella.

Uno tras otro, los criados inclinaron la cabeza.

Lady Cutlar los saludó en general con una sonrisa pálida, sin fijarse en nadie determinado. Perla movió los labios desdeñosamente y agitó la mano. Después miró en
torno con avidez, como si no deseara otra cosa que con-
templar los lugares por donde había corrido siendo niña.

El heredero fue más amable. Avanzó hacia Neri y la
besó en ambas mejillas. Después besó dulcemente a Ketty
y estrechó las manos de los demás. Al llegar a Nemie la
miró con curiosidad e interrogó con los ojos a Ketty.

—Nemie Lemaire, milord, doncella de la señorita
Perla.

Esta se volvió en redondo y se reunió con su prometido. Apretó con sus dos manos el brazo de Lawrence y
susurró:

—Hola, Nemie, ¿cómo estás?

—Perfectamente, señorita Perla. Espero que el viaje haya sido feliz —dijo sin alteración en la voz, pausada y lentamente, como si se hubiesen visto el día anterior.

—Ha sido maravilloso.

Lord Cutlar no apartó los ojos del rostro de Nemie. La miraba largamente, con una expresión extraña y quieta, como si aquellas facciones le fueran del todo desconocidas.

Movió la boca para decir algo, pero la cerró de nuevo, buscó lento los dedos que se apretaban en sus brazos y avanzó retirando lentamente los ojos del rostro impasible de la doncella de su prometida.

—Debes ponerte cofia, Nemie —dijo Perla, antes de alejarse.

Los criados se miraron. Ketty se inclinó hacia Nemie y susurró bajísimo:

—Paciencia. Nemie, hija mía. Es el primer disparo. Has de recibir muchos, porque Perla observó ya que eres infinitamente más bonita que ella.

Nemie encogió los hombros y después buscó la mano un poco temblorosa de León.

—Ocúpate de limpiar los autos, León. Ayuda a Jim y al chófer de la señora. No holgazanees.

Sirvió la comida en el gran comedor, lujosamente decorado. No hubo vacilación alguna en sus lentos ademanes. Muda y seria los sirvió a los dos, pues *lady* Cutlar había quedado en sus habitaciones a causa de la jaqueca que le produjo el viaje.

Sentía los ojos verdes de Lawrence clavados en ella con obstinación. Sentía la voz de Perla hablar y hablar sin tregua de cosas estúpidas, que a ella le resultaban del todo indiferentes. Habló también de su presentación en la corte, de sus admiradores y del viaje que pensaba efectuar cuando se casaran. Lawrence asentía en silencio. Parecía muy lejos de allí. Cuando Nemie entraba en el comedor, sus ojos seguían la ondulación del cuerpo que se insinuaba bajo el uniforme. Y Nemie tuvo la sensación de que los ojos de *lord* Cutlar la desnudaban.

Suspiró feliz cuando pudo retirarse para no volver al comedor. Se sentó en una silla de la cocina, frente a Neri, y comentó:

—Es un bello Apolo el heredero, amiga mía.

—Al verlo llegar pensé en su padre. Era arrogante y bello como él, con una belleza serena y provocativa a la vez. Desdeñoso, soñador y déspota, todo a un tiempo. Son seres un poco complejos, Nemie. Les gusta la vida y todo lo que ésta proporciona y no acostumbran medir los medios para conseguir lo que desean.

El maravilloso cuerpo de Nemie se estremeció casi imperceptiblemente.

Se puso en pie y, cuando se disponía a salir, la doncella de *lady* Cutlar le dijo dulcemente:

—Mi querida y siempre recordada Nemie, siento comunicarte que *lord* Lawrence ha despertado la curiosidad de la señora y ésta desea verte en su gabinete particular.

—¡Oh, Leonor! ¿Tengo que ir sin remedio?

—Por supuesto. —Hizo un gesto vago y añadió—: Al bajar sonó el timbre de la alcoba de la señorita Perla y me permití ocupar tu lugar.

—¿Y bien?

—Desea que subas a sus habitaciones para ayudarla a colocar sus ropas en los armarios.

—Dirás mejor para que las coloque yo.

—En efecto. La señorita Perla no hace nada, excepto ocuparse de su bella persona.

—¿Adonde debo ir primero, Leonor?

—Al gabinete de la señora, por supuesto. Se lo hice saber así a la señorita Perla y se ha resignado a esperarte durante unos minutos.

Nemie sonrió. Palpó la cofia que a decir verdad sentaba muy bien en su cabeza y aumentaba su atractivo personal y dijo, al pasar junto a Leonor:

—Te compadezco, Leo, y ahora me compadezco a mí misma.

—Paciencia, Nemie —contestó Leonor, besándola en la mejilla—. Ketty me ha contado muchas cosas de ti. Sigue adelante y vencerás en la lucha. Cuando venga tu padre todo esto quedará profundamente olvidado… ¿Sabes que si me lo permites me iré contigo de doncella? Apuesto a que Jusepp Lemaire vence en la lucha o muere en ella. Era un nombre tenaz y duro, con espíritu de sacrificio como el tuyo.

Nemie aún sonreía cuando tocó con los nudillos en la puerta del gabinete.

—Adelante —dijo la voz temblorosa de la dama.

Nemie abrió. Su figura exquisita y esbelta se perfiló en el umbral con precisión absoluta. Las bellas facciones de su lindo rostro sonrieron y el busto bien definido, palpitante y túrgido, se inclinó un poco hacia delante.

Lord Lawrence se hallaba hundido en un sofá, junto a la chimenea. Un cigarrillo colgaba de la comisura de sus labios y una despectiva sonrisa, mezcla de admiración y sarcasmo, danzaba en sus ojos. Tenía las piernas cruzadas y balanceaba un pie cuyo zapato brillaba intensamente.

La dama estaba tendida en un canapé y un fino pañuelo iba de la boca a la nariz con exquisita delicadeza.

—Milady, milord...

—Pasa, Nemie. Ven hasta aquí; quiero verte bien y mis ojos ya están muy cansados.

Avanzó sin afectación. Con aquella naturalidad femenina que atontaba y embrujaba al mismo tiempo.

Los ojos quietos de Lawrence siguieron la ondulación del cuerpo esbelto y joven. Después clavó sus ojos impasibles en la faz siempre serena de la doncella...

—No me he fijado en ti, Nemie. Lawrence me ha dicho que estás convertida en una mujer, y en una mujer muy bella.

—Milord es muy amable.

Él no habló. Se limitó a aspirar el humo y expelió después una espesa y azulada bocanada entre cuyas volutas quedaban esfumados los rasgos de su cara.

—¿Y León, Nemie? ¿Cómo está tu hermano?

—Perfectamente, milady. Ha crecido mucho y es ya un hombrecito.

—Habrá que pensar en lo que se hará de él. No me gustaría que fuese un jardinero. Veremos la posibilidad de proporcionarle una carrera. Es una idea que ha sugerido mi hijo.

—Milord es muy atento —dijo Nemie, sin mirar al hombre.

—¿Y tú, Nemie, has sido feliz en el castillo? —preguntó la dama con suavidad.

—Mucho, milady. Amo los campos, los muros del castillo, sus bosques, sus jardines y a sus servidores.

—Me alegro, Nemie. Si algún día vuelve tu padre te irás con él, pero deseo que nos recuerdes siempre.

Nemie pensó fugazmente que el recuerdo de milady no ocuparía muchas horas de su vida. No sentía hacia ella un gran agradecimiento. Siempre ignoró el contenido de aquella carta, mas era evidente que ella fue profundamente lastimada en su espíritu de niña humilde y bondadosa. ¿Y podría *lady* Cutlar borrar las horas dolorosas de su soledad dando una carrera a su hermano? Nemie sabía que no, pero era demasiado inteligente para exteriorizar sus sentimientos.

—Mi padre tal vez no vuelva nunca —repuso calladamente—. Son muchos años de destierro y abandono.

—Nunca he recibido noticias suyas, Nemie, por eso espero que viva. —Hizo una transición y añadió—: Quiero ver a León. Mi hijo se ocupará de él. Dile que suba, Nemie, por favor. Lawrence lo examinará un instante y después trataremos de llevarlo a Londres con objeto de que se haga un hombre.

—Gracias, milady. Nunca olvidaré su bondad. —Hizo una corta reverencia muy elegante y retrocedió hacia la puerta—. Si milady no desea nada de mí…

—Hasta luego, Nemie. Eres muy bonita.

Nemie lanzó una vaga mirada sobre el callado Lawrence, inclinó levemente la cabeza y susurró, casi sin voz, porque aquellos ojos, los mismos ojos que tanto daño le hicieron siendo niña, continuaban obstinadamente clavados en su rostro.

—Milord…

—Adiós, Nemie.

Hubo un prolongado silencio en la estancia. *Lady* Cutlar pasó suavemente el pañuelo muy fino por la nariz y luego miró interrogante a su hijo.

—¿Y bien?

—Me gustaría saber quién educó a Nemie, milady —rió Lawrence, con risa falsa y frío—. La has observado como yo, ¿verdad?

—Por supuesto.

—¿Y qué me dices, milady?

—Es muy delicada Nemie, Law. Sí, tal vez haya sido cuidadosamente educada, mas no tenemos motivos para reprochar a quien lo hiciera. Me agrada que la hija de Jusepp sea una muchacha fina, bella y bien educada.

—Es que no se trata sólo de ser bien educada, mamá. Todos los movimientos de ese cuerpo de mujer han sido debidamente estudiados. No tienes nada que censurarle. Ni el arpegio de su voz armoniosa, ni sus modales pausados y elegantes ni sus gustos metódicamente comedidos. Hay algo en ella que resulta de una distinción conmovedora. Me gustaría verla en un gran salón, y apuesto veintisiete contra cinco que tanto Perla como sus amigas quedarían eclipsadas por su belleza majestuosa y arrogante. —Rió con risa ruda y desagradable y se puso en pie. Sacudió un átomo de ceniza que salpicaba su elegante pantalón oscuro y añadió sarcástico—: Es una mujer hecha para el placer y para el amor. Y también, ¿por qué no decirlo? Para figurar en un elegante salón de la corte del brazo de un *lord* o un magnate de las finanzas.

—¡Lawrence!

—Voy a casarme con tu sobrina, *lady* Cutlar —advirtió fríamente—. No la amo en absoluto, pero puesto que nos prometiste de pequeños me he acostumbrado a acariciar la idea de hacerla *lady* Cutlar. Mas no por eso dejo de reconocer que sería un atractivo infinito despertar el corazón de esa muchacha linda y distinguida que acaba de salir enfundada en un traje de doncella. Sería sumamente interesante —añadió burlón—. ¡Oh, sí, muy interesante! Siempre admiré la majestad de las mujeres; por eso quizá odié a la niña que enterré entre la nieve. Tal vez esperaba anular su actitud callada y dócil bajo la capa de blancos copos, la odio ahora por su disimulada arrogancia. La odiaré siempre, siempre —prosiguió con intensidad—. Es la mujer que eclipsa a todas las demás mujeres aunque todas sean tan bellas como la Venus de Milo. —Dio unos pasos por la estancia y miró el fuego. Las chispas danzaron ante sus ojos y pusieron en su faz rayos encendidos que hermoseaban su rostro hasta lo infinito, con una hermosura diabólica y tenaz—. Bajo esa belleza dócil y sumisa se oculta un corazón de mujer ardiente, capaz de morir de amor o de vivir por él hasta la muerte.

Lady Cutlar tenía los ojos desmesuradamente abiertos.

—Law, me estás asustando… Siempre te consideré un hombre indiferente, y ahora estoy observando en ti una pasión desmedida, impropia de un inglés encumbrado y altanero.

—Es que, además de inglés y hombre, milady —replicó él, ya burlón—, soy un ser normal como miles de seres. Con sus pasiones, sus deseos y sus anhelos; a veces, un poco infantiles, otras crueles.

Y golpeando con sus finos y largos dedos la mejilla de la dama, se alejó con paso ligero hacia la puerta.

Cinco

Perla, enfundada en un elegante salto de cama, los cabellos rubios sueltos en cascada y en los labios orgullosos prendido un cigarrillo, miró hacia la puerta y dijo:

—Pasa, Nemie. Te estaba esperando.

La hija de Jusepp penetró en la estancia y cerró la puerta tras de sí. Avanzó despacio, exenta de afectación. En Nemie todo era maravillosamente natural y esto engrandecía su indescriptible atractivo personal.

—Eres muy bonita —comentó la aristócrata en tono indulgente—. Ven, es preciso que coloques todas mis cosas en su sitio. Tal vez nuestra estancia aquí se prolongue indefinidamente, ya que mi prometido desea que la boda se celebre en el castillo.

Dijo aquello con entonación altiva, como si Nemie no supiera que iba a casarse con su primo, y con objeto quizá de que lo tuviera bien en cuenta y no lo olvidara nunca.

Nemie, sin responder, procedió a colocar la ropa en el armario. Nemie era una muchacha sencilla y había visto muchas cosas, tal vez más de las que nadie se figuraba, pero jamás, en el corto espacio de su vida, había contemplado vestuario más maravilloso que aquel que ahora guardaba en el armario. Sutilmente acarició con sus dedos los trajes de Perla. Modelos de París auténticos, con la firma grabada en un borde. No envidiaba aquellos trajes, pero sentía una profunda admiración por todo aquello que ella jamás podría lucir.

—¿Te gusta ese vestido, Nemie? —preguntó súbitamente Perla, cuando observó cierta vacilación en su doncella—. Es de la temporada anterior, pero la moda lo conserva nuevo, ¿sabes? Te lo regalo; puedes ponértelo cuando vayas a la ciudad con tu novio.

Los dedos de Nemie se cerraron sobre la tela suave y breve. Hubo cierto brillo de rebeldía en sus grandes ojos, pero lo apagó al instante.

—No tengo novio, señorita Perla.

—¿Tan bonita y no lo tienes? Bien, te lo regalo igualmente. Déjalo apartado, puedes llevártelo.

Nemie lo depositó sobre una esquina del diván, pero se juró a sí misma desde aquel instante no ponérselo jamás, jamás. Ella también era orgullosa. Jusepp aún no había dicho que estaba muerto, y mientras Jusepp Lemaire no lo dijera, ella tenía un padre y un porvenir…

—Gracias —contestó tan solo.

—No me las des… ¡Tengo tantos trajes! —Hizo una rápida transición y añadió irónicamente—: ¿Recuerdas, Nemie? Cuando éramos pequeñitas y Law te enterraba en la nieve, yo sufría mucho porque decían que éramos hermanas…

—Tengo poca memoria, señorita Perla —observó Nemie, guardando el último traje en el armario—. No recuerdo bien los años de mi niñez. —Una pausa y luego—: ¿Me permite la señorita que me retire? Esto está listo y abajo me esperan para disponer el comedor.

Perla aplastó el cigarrillo que fumaba en un cenicero y sonrió.

—Puedes marchar, Nemie. Te llamaré a la hora del almuerzo para que me ayudes a vestir. Soy una inútil, ¿sabes? Estoy acostumbrada a tener dos doncellas para mí y no sé si ahora podré arreglármelas con una sola. Buenos días, Nemie. Ah, llévate el traje, querida.

Al cruzar el vestíbulo, Nemie observó que los ojos de Lawrence la contemplaban en silencio desde el ventanal. Este dio la vuelta y la miró más de cerca.

—Hola, Nemie. ¿Es que la señorita Perla no piensa bajar a dar una vueltecita por el parque?

—Lo ignoro, milord —repuso ella, mirándolo apenas. El caballero lanzó una breve mirada sobre el vestido que ella llevaba colgado del brazo y lo señaló desdeñoso:

—¿Te lo ha dado?

—Sí.

—¿Y te lo vas a poner?

Ella dudó un instante. Recordó la maldad de aquel hombre cuando era un muchacho. Pensó hacer una reverencia y seguir su camino en dirección a la cocina, pero una fuerza superior la detuvo allí, quieta, un poco altiva, como si temiera que él volviera a lastimar su sensibilidad de niña. Alzó los ojos y sostuvo con irritación la mirada insistente y provocativa.

—No pienso hacerlo —dijo al fin, con voz extrañamente normal—. Nadie puede obligarme a ello. Ni la señorita Perla ni milord.

—Por supuesto.

—Con su permiso, milord…

—Espera.

Y la mano larga y morena aprisionó el brazo femenino. Los ojos de Nemie fueron de aquella mano a los ojos masculinos. Después se soltó con suavidad, y al tocar los dedos fuertes sintió que algo le recorría de arriba abajo como si la pinchara un animal venenoso.

Lawrence observó con extrañeza que las facciones siempre inalterables de aquel rostro bronceado y bello se contraían. Se inclinó un poco y comentó, indiferente:

—Eres una mujer muy bonita, Nemie… ¡Demasiado bonita para tu condición de doncella desdeñosa!

Ella pisó fuerte y, sin volver la cabeza, se alejó. Sabía que dos ojos verdes y brillantes, de una intensidad apasionada y violenta, la seguían, estudiando cada uno de sus movimientos. Desnudándola y escarneciéndola. Pero ella seguía adelante, adelante, erguida y fría.

Los vio pasear por el bosque, salir en el auto a los atardeceres en dirección a la próxima ciudad. Jinetes en sus caballos, internándose en la espesura. Solos los dos, sentados en los amplios sillones de la terraza, viendo cómo la nieve caía lenta y monótona. Siempre juntos. Ella radiante, él sin apartarse de su displicencia de gran señor.

Nemie continuaba haciendo su vida de doncella. Servía el comedor donde seis ojos la miraban con insistencia. Cuidaba de la ropa de Perla y servía a ésta con docilidad, pero dentro de una absoluta indiferencia. Una indiferencia que hacía más altiva su figura de mujer y hacía resaltar su personalidad.

León fue, en efecto, enviado a la ciudad a un colegio elegante. Lo besó al marchar, y cuando elevó los ojos cálidos encontró los de Lawrence clavados en ella.

—¿No lloras, Nemie?

—Nunca lo hice.

—Ya. Recuerdo perfectamente cuando murió tu madre. Nunca olvidé tu respuesta cuando te pregunté lo mismo que ahora. Eres una mujer valiente —concluyó con extraña entonación.

Luego se llevó a León. Regresó solo una semana después, y ella, que se hallaba en la terraza regando unas flores, observó la llegada y la alegría radiante de Perla cuando se colgó del cuello masculino y ofreció los labios.

Nemie jamás olvidaría aquel instante. Sintió que algo la lastimaba, y sus ojos sintieron algo parecido a la humedad por primera vez en su vida de mujer. Los labios de Lawrence, aquellos labios altivos y desdeñosos, se aplastaron en la boca exquisita de Perla. Y los brazos del aristócrata rodearon la cintura breve y la estrujaron contra su cuerpo como si fuera un objeto de incalculable valor y temiera que alguien se lo arrebatara. Mas cuando la cabeza del hombre se irguió, sus ojos tropezaron con el rostro inmóvil que los observaba... Y Nemie pudo ver que no había vestigio alguno de emoción en aquellas pupilas. Había besado con la misma indiferencia que le decía a ella: «Hola, Nemie. ¿Es que la señorita Perla no piensa bajar a dar una vuelta por el parque?».

Retrocedió unos pasos y se internó en el vestíbulo. Pensó que ella jamás podría soportar una indiferencia como aquélla. Al casarse, al tener novio, al entregarse, quería recibir tanto como daba. Y jamás su gran amor de mujer podría ser recompensado con unos besos convencionales. Oh, no. Ella y Perla eran diferentes. Y Lawrence Cutlar no amaba a su novia, porque si la amase...

Dejó de pensar en ello y continuó sus faenas en compañía de Leonor. Transcurrieron los días. Lo vio de nuevo a la hora de comer. En el parque, en el jardín... Dejó de mirarlo. Se habituó a sentir sobre su rostro la mirada inmóvil y dura. Pero aquella tarde la mirada no era inmóvil ni dura...

Se hallaba Nemie en la cocina hablando con Neri. Hablaban de León, de lo que llegaría a ser algún día... Y Nemie le decía a Neri que jamás olvidaría el rasgo desprendido de la dama al enviar a León a un colegio donde podría hacerse un hombre.

—Si algún día vuelve papá, León será ya un hombrecito y Jusepp Lemaire se sentirá orgulloso de él e infinitamente agradecido a la señora.

—Creo que no ha salido de la señora, Nemie —dijo Neri, con rara entonación.

—Si ha sido él...

—No quisieras tener que agradecerle nada, ¿verdad?

Nemie bajó la cabeza y calló.

—¿Lo odias?

¿Lo odiaba? Nemie jamás se hizo aquella pregunta a sí misma porque tenía miedo, miedo de algo impalpable que le hacía un daño infinito, inconcebible.

Leonor penetró en la cocina con la sonrisa en los labios. Y aquella figura de mujer alta y un poco desgarbada libró a Nemie de responder.

—Nemie, la señora dice que desde hoy te ocupes tú de dar la limosna a los pobres de la comarca que vienen todos los jueves. En el pabellón del parque tienes la comida y los platos. La esposa del jardinero ya hizo la comida, pero la señora no quiere que la sirva ella, porque es torpe… Ve tú, Nemie. Y ocúpate de ellos todos los jueves. Es un trabajo delicado que te gustará.

—Por supuesto, Leonor. Mas si yo fuera la sobrina de *lady* Cutlar, preferiría que nadie ocupara mi lugar en ese menester.

—La señorita Perla no entiende de obras de caridad. —Bajó la voz y se inclinó un poco. —Si fuera besar a su novio —añadió, sarcástica—, lo haría encantada. Pero dar de comer a tantos pobres mugrientos y feos es repugnante para su fina sensibilidad.

Nemie rió burlonamente y se alejó con paso menudo y elástico.

Eran las seis de la tarde y una veintena de pobres harapientos y sucios se hallaban sentados en la escalinata del pabellón. La esposa del jardinero, ruda y desagradable, rezongaba algo, renegando contra todos ellos. Iba de un lado a otro de la larga cocina y lanzaba furtivas miradas hacia la puerta, temiendo siempre que aquellos infelices que ella creía verdaderas almas del pecado y la depravación se lanzaran sobre ella para destruirla, Nemie pasó ante ellos, los saludó cariñosa y palmeó dulcemente la cabecita rubia de un niño que se apretaba llorón sobre el pecho de su madre.

—Puede retirarse, Jerusa. Tengo orden de *lady* Cutlar de atenderlos yo en lo sucesivo… Usted hará la comida, luego cerrará la puerta del pabellón, y a la hora fijada vendré yo a servirles.

—Dios bendiga a la señora. Estos pobres, Nemie, me tienen asqueada.

Nemie se abstuvo de responder. Siguió la figura regordeta de la jardinera y después dejó vagar su mirada por todas aquellas cabezas abatidas.

—¿Mucho apetito, amigos míos?

La contemplaron con adoración. ¿Quién se atrevería a decir que aquellos ojos eran crueles? Nadie, porque en realidad sólo necesitaban una frase dulce de una boca noble para dar su corazón y su ser al dueño o dueña de la sonrisa. Y aquélla pertenecía ahora a una doncella, a una figura de mujer linda y exquisita que los trataba con dulzura como si fuera uno más de todos los que esperaban ansiosamente un plato de comida.

Un hombre que con la fusta en la mano avanzaba por el parque, al ver tanta gente se detuvo en seco, y al oír la voz inconfundible de Nemie Lemaire inclinó la cabeza y avanzó casi sin proponérselo hacia el pabellón.

La voz cálida y pastosa de Nemie decía:

—Desde hoy me ocuparé de vosotros… ¿Entendido? Desde que pisé el castillo es el primer trabajo que armoniza perfectamente con mis aptitudes de mujer. Soy pobre como vosotros, ¿sabéis? Yo os amo… Amo a todo aquel que necesita mi amor. Pero quiero pediros un favor. Desde hoy exijo que todos, absolutamente todos, antes de venir aquí paséis por el riachuelo del bosque y os lavéis. La pobreza, la humildad y la miseria deben ser debidamente purificadas y habéis de empezar por lavaros la cara. Es de muy mal gusto que además de ser pobres vengáis a comer a casa de *lady* Cutlar con los rostros llenos de polvo y de grasa. Cuando vuestras botas estén rotas, yo recurriré a la señora para adquirir otras. Y cuando vuestros trajes estén destrozados obraré del mismo modo, pero quiero fidelidad y cariño. Necesito que todos, absolutamente todos, me queráis mucho.

El hombre que avanzaba se replegó hacia unos arbustos y sus ojos brillaron de un modo raro. Oyó la voz de todos en una sola voz y después la dulce respuesta formulada calladamente, exquisita y lenta, cálida y breve.

—La queremos ya, señorita…

—No, no. Me llamaréis Nemie. Yo soy Nemie para todo el mundo. Y para vosotros soy Nemie también.

Lawrence se apostó contra un árbol. Encendió un cigarrillo y agitó la fusta lentamente azotando su bota de montar. Desde allí podía ver perfectamente el cuadro que formaban los pobres alineados en la escalera ancha y larga y la figura de la mujer que iba de un lado a otro entregando el plato repleto de comida. Luego repartía el pan y después la fruta. Cuando todos estuvieron servidos, se sentó tranquilamente en medio de un grupo, alzó la mano y dijo:

—Por la señal… Y ahora recemos una oración breve. Toda comida debe ser bendecida por Dios Nuestro Señor. No olvidéis, amigos míos, que Dios está dentro del corazón de *lady* Cutlar y es Él quien os proporciona la satisfacción corporal de esta comida. No lo olvidéis nun…

Lo vio. Irguió un poco la cabeza, apretó los labios y después, muy lentamente, se puso en pie y susurró:

—Que os aproveche, amigos míos.

Y se ocultó en el pabellón.

Lord Lawrence continuaba avanzando. En diciembre y a aquellas horas el sol ya no existía. Ciertas sombras comenzaban a invadir el parque. La figura alta y fuerte, enfundada en las ropas de montar, pantalón oscuro, jersey blanco y zamarra de ante beige, con altas polainas y una gorra ahora un poco ladeada, parecía más esbelta y arrogante que nunca.

—Buenas tardes —saludó, mirando aún hacia la puerta del pabellón.

Al sentir la voz, todos intentaron ponerse en pie; Lawrence agitó la mano, indicando:

—No os mováis. Continuad comiendo. Y que os aproveche esa comida tan dulcemente servida para vosotros.

Subió la escalinata y su figura se recortó en el umbral. Nemie, de espaldas a la puerta, trataba de ordenar algo que ya estaba ordenado. Sus manos se movían con nerviosismo y los ojos, dentro de las órbitas, tenían una inmovilidad fría y áspera.

—Hola.

No se volvió. Había algo en ella que le impedía ponerse frente a frente con aquel hombre. Detestaba la frialdad de aquellos ojos verdes y la inmovilidad de sus músculos de acero.

—Hola —repuso, bajito.

Él avanzó. Su mano enguantada rozó el hombro femenino. Un leve estremecimiento sacudió el cuerpo de Nemie, que se volvió súbitamente.

—Hola, milord. Creo haber llevado a cabo mi cometido con exactitud y en favor siempre de mis señores.

—No quería hablar de ello, Nemie.

Asustada, observó que la mirada de él era diferente. Había en aquellos ojos sombras oscuras, pero la contemplaban de una forma rara. No eran cariñosos, pero tampoco duros y fríos como de costumbre.

—Lo hice lo mejor que pude, milord.

Él agitó la mano, impaciente.

—Lo has hecho perfectamente… Pero ignoraba que mi madre te buscara para esto.

—Me gusta mucho.

—Por supuesto. Lo observé muy bien. Mas es un trabajo desagradable. —Bajó la voz—. Y no quisiera que hicieras en el castillo nada que no te agradara.

—Milord es muy bondadoso.

—No lo hago por bondad, Nemie —advirtió él, con rudeza—. Lo hago por algo más elevado.

—¿Más elevado que la bondad?

—¿No lo es el amor?

El cuerpo de Nemie fue violentamente sacudido como por una descarga eléctrica. Sus ojos, dentro de las órbitas, se movieron una y otra vez asustados, nerviosos, inquietos…

—Sí —añadió él, con vehemencia, buscando la mano femenina, que no pudo hallar porque Nemie la apretaba desesperadamente bajo el delantal blanco—. Estoy enamorado de ti. ¿Me oyes, Nemie? Estoy enamorado.

—Lo sé perfectamente, milord.

—¿Que lo sabes?

Nemie desvió los ojos. Los clavó en el ventanal por cuyos cristales se veía llegar la noche.

—Milord va a casarse. Y cuando una persona se casa es que está enamorada.

— ¡Cielos! —susurró Lawrence con voz alterada—. ¿Crees, acaso, que amo a mi prima?

—No me interesa, milord.

—¡Milord, milord! —Buscó furiosamente la mano menuda que un instante antes era indulgente para los desharrapados y ahora era cruel para él, y la apretó con intensidad, pese a los esfuerzos de ella—. Odio mi título, Nemie. Lo odio porque tú lo repites a cada instante. Quiero que me llames Lawrence, ¿me oyes, Nemie? No pienso casarme jamas con mi prima porque tú… porque tú…

Los pobres entraban en el pabellón y dejaban sus platos sobre la gran mesa que presidía la única estancia. Daban las buenas noches y se alejaban. Lawrence observó cómo ella iba de un lado a otro, ofreciendo una sonrisa a cambio de cada saludo. Una sonrisa dulce y débil que él, avaricioso y violento, deseaba para él solo. Pero Nemie no parecía muy dispuesta a entregarle aquella sonrisa. Sus ojos pasaban por encima de la cabeza masculina sin rozarlo siquiera. Cuando el último hubo desaparecido, *lord* Lawrence avanzó resuelto hacia ella. La miró muy cerca. Nunca había visto tan próximo aquel rostro ideal de mujer completa y delicada. Ni aquellos ojos ávidos que guardaban secretos que lo irritaban y lo enajenaban al mismo tiempo. Ni aquel cabello negro, de reflejos azulados, que se ocultaba en la horrible cofia blanca. Ni aquella piel tersa y bronceada que él quisiera acariciar hasta enloquecer. Ni aquellas manos divinas, aladas y suaves que ahora buscaba anhelante y que deseaba sentir acariciadoras y tiernas en su cara y en su cuerpo.

—¡Nemie!

—He de marchar, milord —dijo la joven, con energía—. Los pobres se han ido y yo debo volver al castillo inmediatamente.

—Estás a mi lado, Nemie. Quiero tenerte aquí, ¿me oyes? Quiero besarte.

Ella dio un paso atrás y Lawrence otro hacia adelante. Y cuando iba a aprisionar la breve cintura, una figura de mujer se perfiló en el umbral. Aquella mujer tenía los ojos verdes y brillantes clavados obstinadamente en el rostro muy pálido de Nemie… y del rostro de Nemie fueron a dar al rostro alterado de Lawrence.

—Un lugar poco apropiado para ocultar secretos pasionales —comentó indiferente Perla Cutlar.

Nemie la miró asustada, como animal acorralado, y después, sin posar los ojos en el semblante ya impasible de Lawrence, se deslizó hacia la puerta y se perdió en el parque, envuelta su figura entre las sombras de la noche.

—Era una escena muy digna de folletín, amigo mío.

—Ciertamente.

—¿Lo admites?

Lawrence encendió un cigarrillo y se lo llevó a los labios, lo dejó en la comisura izquierda y sonrió de nuevo con absoluta indiferencia.

—¿Por qué no, si tú lo has admitido primero? Vamos, Perla. Además de ser inoportuna, eres endemoniadamente indiscreta.

—Merezco una explicación, Law.

—Siento tener que comunicarte que jamás he dado explicación de mis actos personales. Esta vez, mi querida amiga, es como las demás. No ha cambiado nada.

—Pero tú sabes que la necesito.

—Oh, sí, también yo necesito algo más agrio y fuerte que tú y, sin embargo… me conformo contigo. Creo que es una razón estúpida, pero a veces los hombres somos también estúpidos. ¿Vamos, Perla?

—Se lo diré a tía Olivia.

La mano de Lawrence se cerró sobre el brazo femenino. Los dedos lastimaron la carne tibia y mórbida.

—Harás muy bien en callar, querida —advirtió con voz normal—. Yo en tu lugar no diría nada. Y hablando más claro: ¿Qué es lo que tienes que decir? ¿Acaso estaba matando a alguien?

—Sé que no vas en serio, Law. Y si es para burlarte, es cruel por tu parte hacerlo en la persona de una indefensa doncella. Francamente, no te conocía en ese aspecto.

—No me conocías en ninguno ni me conocerás jamás. Perla —repuso él, tranquilo y desdeñoso—. Nadie me conoce, excepto yo mismo. Y en cuanto a burlarme, he de confesar que Nemie Lemaire es la última persona de quien yo me hubiese burlado.

—¿Qué debo creer, entonces?

—Harás muy bien para tu tranquilidad, espiritual y material, en no creer nada. ¡Harás muy bien, Perla!

Ella bajó la cabeza. Una sorda irritación la enfurecía.

Perla tuvo buen cuidado de disimularla, porque, de haberla dejado al descubierto, la ira de *lord* Lawrence la hubiese mandado a paseo. Además, sabía, porque la vida al lado de él se lo había demostrado, que Lawrence no se andaba por las ramas cuando podía pisar firme, y la firmeza de los pasos de él podía muy bien destrozar sus esperanzas de mujer enamorada. Decidió callar y pensar en la revancha, una revancha callada y cruel que sólo afectaría a Nemie Lemaire.

Seis

Ketty la vio llegar con el rostro congestionado y los labios desesperadamente apretados y la abordó. Ketty tampoco se andaba por las ramas cuando se podía pisar firme. Vio que Nemie se dejaba caer pesadamente sobre la cama y la sintió llorar. Nemie jamás había llorado. Ni siquiera cuando murió su madre, que era para ella el primer dolor verdadero de su vida. Y, sin embargo, lloraba ahora.

—Nemie, ¿qué ha sucedido?

La joven elevó los ojos. Eran grandes y estaban llenos de lágrimas.

—Algo terrible, Ketty. Algo espantoso.

Lo retiró con voz entrecortada y dura. Después ocultó el rostro entre las manos y continuó llorando desesperadamente.

—Bien, no te aflijas. Esto tiene una solución.

—¿Que la tiene? ¿Dónde?

—Escucha, Nemie. ¿Tú lo amas a él?

Los ojos de Nemie se abrieron desmesuradamente. Se miró a sí misma, apretó impulsiva las manos que él había acariciado, las retorció una contra otra y después dijo, como si hablara con su propio espíritu:

—No, no. No debo amarlo. Es el último hombre a quien yo podría entregarle mi corazón.

Ketty se impaciento.

—No se trata de poder o no, Nemie. Aquí estamos diciendo si es o no es.

—No, Ketty. No le amo.

—Bien. Creo que le amas, Nemie; pero eso no importa. Te enseñé a ser una mujer completa y responsable. ¿No es cierto? Tienes un gran espíritu, Nemie, fuerte, duro para la lucha. Modelado a nuestro antojo. Bien, bien, Nemie. Es preciso que domeñes ese amor. Tienes que estrujar tu corazón, ¿me oyes, Nemie? Estrujarlo, retorcerlo, pero ahuyentarás de él la visión de un hombre que jamás podrá ser para ti. Cuando le vi llegar y observé cómo te miraba, presentí algo de lo que está sucediendo. Sí, ella, la señorita Perla, es bella, pero le falta el espíritu que tú tienes, que asoma por tus ojos y te purifica. Si él se ha burlado de ti...

—Me ha dicho que no pensaba jamás casarse con su prima y que yo...

—Nemie.

—Oh, sí, ya lo sé. Pero le amo también, ¿me oyes, Ketty? Le amo como jamás creí que pudiera amarse a un hombre, y tengo derecho...

—¿Derecho? ¿A qué tienes derecho, Nemie? —preguntó la voz alterada de Ketty.

La joven bajó la cabeza y repuso ahogadamente:

—A nada, Ketty. Perdona, domeñaré mis ansias de mujer, Ketty, te lo prometo.

La mano de Ketty rozó los cabellos negros y brillantes.

—Así está mejor. Nemie. Eres lo suficientemente sensata para razonar con precisión y lealtad. Él nunca podrá ser para ti, aunque no se case con su prima… Un *lord* jamás se casa con una doncella de su casa. Debes saber esto, Nemie, y no lo olvides jamás. Si quieres seguir el consejo de una vieja, óyeme, Nemie.

La muchacha se secó las lágrimas de un manotazo y susurró débilmente:

—Te oigo, Ketty. Seguiré tu consejo y nadie sabrá… nadie sabrá que… que…

—No te esfuerces, Nemie. Sé lo que ibas a decir. Bien, querida mía. Para destruir la violencia de lo que sucedió esta tarde, tú servirás ahora la mesa como si nada hubiese pasado. Tienes la conciencia tranquila, no la has traicionado. No tienes de qué arrepentirte y harás muy bien en levantar firmemente la cabeza. Neri te espera en la cocina, Nemie. Lávate la cara, ponte otra cofia y ve a servir a tus señores. Si algún día regresa Jusepp Lemaire, podrás alejarte de esta esclavitud, pero si no regresa, tendrás que permanecer aquí, Nemie. Aquí, con el corazón destrozado o no, pero aquí, inmutable y fría como si en vez de ser una mujer de carne palpitante, fueras una estatua de hielo.

Minutos después, Nemie aparecía en el comedor. Los ojos de Perla brillaron asombrados, pues no esperaba verla de nuevo aquella noche. La dama le sonrió y Nemie devolvió gentilmente la sonrisa.

—¿Y tus pobres, Nemie? —preguntó dulcemente—. ¿Qué tal te has entendido con ellos?

—Perfectamente, milady —repuso Nemie, sin una sola alteración en la voz.

«Es una farsante —pensó Perla, despechada—. Yo hubiese tirado el plato a la cabeza de milady, aunque después me viera en el arroyo.»

En voz alta dijo pausadamente:

—Nemie ha tenido un ayudante esta tarde, querida madrina.

—¿Ah, sí? Me agrada. ¿Quién era, Nemie?

—Nadie, milady —respondió ella con firmeza, porque sostenía la verdad.

Lawrence sintió unos deseos terribles de reír y obsequió a su prometida con una mirada burlona. Esta se revolvió en la silla y clavó los ojos crueles en la faz inalterable de la doncella.

—¿Está usted segura, Nemie?

—Absolutamente segura, señorita Perla… Los pobres pueden atestiguar la veracidad de mi afirmación.

—No obstante, cuando yo llegué…

—Milord ha tenido el buen gusto de inspeccionar por sí mismo la instalación del pabellón destinado a los pobres de su comarca —declaró Nemie, con sencillez.

Lady Cutlar sonrió complacida y Perla se mordió los labios. Lawrence lanzó una breve mirada sobre el rostro impasible de aquella muchachita valiente, y por primera vez se arrepintió de haber jugado a enterrarla en la nieve. Hubiese enterrado para siempre el mejor tesoro del mundo y aquel tesoro era de él; tenían un secreto en común y aun cuando Nemie pretendiera negarlo, él sabía… que la mano que ahora le mostraba la fuente de pescado temblaba convulsa de una forma bien perceptible.

Aquella noche, Nemie se hallaba recostada en el ventanal del cuarto de plancha. Este ventanal caía sobre el jardín y Nemie contemplaba calladamente, con nostalgia, el silencio augusto de la noche. La nieve caía insistente. Sus copos formaban dibujos en la grava del parque y danzaban juguetones sobre su cabeza adornando con puntitos blancos los cabellos negros y brillantes.

Nemie estaba sola. Las demás doncellas se habían retirado. Ketty estaba con Neri en la cocina y Jim tocaba la guitarra muy tenuemente junto a la puerta de servicio. Nemie sintió música en el salón. Pensó que sería Perla que tocaba el piano e imaginó a Lawrence sentado a su lado con la vista indiferente perdida en un punto inexistente. *Lady* Cutlar, con los ojos cerrados, sentada no lejos de ellos junto a la chimenea que crepitaba alegre y feliz dentro del salón caldeado.

Al divisar la punta de un cigarro encendido muy cerca de ella, intentó retirarse, pero una voz bronca y firme la detuvo.

—No seas cobarde, Nemie. Esta noche has sido muy valiente y me gustaría que ahora lo fueras ante mí.

No llevaba puesta la cofia. Los cabellos danzaban juguetones en torno a su rostro. Jamás Nemie había estado tan bella como aquella noche, iluminada por la tenue luz de la estancia que salía por la ventana e iba a morir a los pies de Lawrence.

—Siempre he sido valiente, milord.

—Menos ahora.

—Ahora como siempre, milord.

Lawrence dio un paso hacia delante y se recostó en el alféizar por la parte de fuera. Su cabeza rozaba la de Nemie y ésta retrocedió un poco, mirando sin ver las pupilas que, clavadas en ella, contemplaban sus ojos y su busto.

—Milord…

—No me llames milord, Nemie. Creo que para ti jamás seré un extraño. ¿No oyes la música del salón? Perla toca sin cesar. Es de suponer que está contenta.

—Lo estará, milord.

—¿Puede estarlo?

—¿Por qué no?

—Yo te amo a ti, Nemie.

Nemie se irguió.

—Es tarde, milord. Debo retirarme.

—Espera.

Le alcanzó la mano, se la acarició dulcemente y elevó los ojos. Los de Nemie estaban muy cerca.

—¿Me quieres, Nemie?

—No.

—¿Te casarías conmigo, Nemie?

—No.

Él, con violencia, tiró de aquella mano, y después el rostro ideal de Nemie quedó aprisionado entre sus dedos.

—Te quiero, ¿me oyes? Te quiero, Nemie. ¿Desde cuándo? Desde el día que llegué y te vi entre todos los criados, firme y segura de ti misma. Te quise más después y esta noche te adoro, ¿me oyes? Tendrás que ser mi mujer, Nemie. Nunca he tomado lo que no quise y no amo a Perla. Te amo a ti. ¡A ti solamente! —susurró, ya posados sus labios en los de ella.

Nemie, con los ojos muy abiertos, pretendió desasirse, pero la boca ávida de Lawrence se pegaba a la suya con apasionada intensidad. Fue un beso que le hizo daño, que lastimó sus labios y lastimó su corazón.

—Nemie —susurró acariciando con sus labios los labios femeninos que temblaban asustados y doloridos—.

Te quiero así, para enloquecerte y hacer vibrar de ternura. ¿Me oyes, Nemie? Te quiero así, así.

Y la voz que era dura y burlona para todos tenía ahora matices de ternura infinita. No era un hombre indiferente y frío. Era un *lord* enamorado que confesaba la sinceridad de su gran cariño.

Ella se desprendió con brusquedad, se retiró de la ventana y cerró las maderas sin violencia, pero enérgicamente. Jadeante, con las yemas de los dedos en la nuca, permaneció erguida y temblorosa en mitad de la estancia. Y al dar un paso hacia delante, tropezó con la ira indescriptible de una mirada femenina que la clavó en el suelo.

—Esta vez no podrás negarlo —barbotó Perla, con los dientes juntos—. Lo he visto por mis propios ojos. ¿Me oyes, miserable mendiga? Lo he visto con mis ojos.

—Lo siento —dijo Nemie, con voz ahogada.

—Lo sientes… ¿Sabes lo que eso significa? ¿No lo sabes? Te lo voy a decir. Significa que te irás inmediatamente del castillo. Se lo diré a *lady* Cutlar y te echarán fuera como a una mujerzuela.

El busto de Nemie se irguió.

—Nunca lo he sido —replicó, acallando su dolor y su orgullo de mujer pura—. Nunca lo he sido y tú lo sabes.

—¿Tú?

—¿Por qué no? Te creí mi hermana durante varios años, comíamos juntas y juntas crecimos… Pero tú siempre fuiste diferente a mí. No deseo a tu *lord*. Llévatelo, pero te advierto una cosa, Perla Cutlar: él no te quiere, y yo antes me dejaría morir que casarme con un hombre al que no amo.

—Lo amas a él, ¿verdad?

—Son cosas que sólo a mí incumben; por lo tanto, me harás el favor de respetar mi silencio.

—Eres una farsante. Ciertamente nos creíamos hermanas. Pero cuando él te enterró entre la nieve, yo deseé que murieras, ¿me oyes? Lo deseé porque te odiaba ya. Y entonces aún te creía mi hermana.

—Pues yo nunca quise que murieras tú y sabía que no lo eras.

—Muy bondadosa. Eres de una bondad extremada y conmovedora. Lástima que no sea sincera esa bondad. Pero los engañas a todos menos a mí, por supuesto. Bien, te irás, ¿me oyes?

—No pienso hacerlo.

—Se lo diré a *lady* Cutlar.

—Me parece muy bien —rió sarcástica con más dolor que placer—. Tengo entendido que a *lord* Lawrence no se le domina fácilmente y temo, no sin razón, que con tu ansia de precipitar la boda, la destruyas para siempre. Las injusticias no tienen cabida en el corazón de… él.

—Lo amas, ¿verdad? —insistió Perla, alteradísima, sacudiendo el cuerpo esbelto de su doncella.

—Repito que son cosas que me pertenecen a mí exclusivamente. Ahora, con su permiso, señorita Perla, me retiraré.

—Espera. Tienes que prometerme…

Los ojos de Nemie vagaron indiferentes por el rostro de aquella muchacha orgullosa que le pedía a ella, a ella, una pordiosera, una cualquiera, el favor de alejarse para ser amada por un hombre que jamás le pertenecería.

—Es lamentable —comentó con naturalidad— que, desde su gran altura, la señorita Perla solicite un favor de su propia y desvalida doncella.

—¡Márchate! —gritó Perla en el paroxismo de la indignación—. Márchate de aquí y métete en tu cuarto. Te haré mucho daño. ¡Oh, sí, mucho, mucho daño!

Nemie se alejó sin prisas, sencilla, erguida, con los ojos melancólicos clavados en sí misma.

Perla apretó los puños, cerró los ojos con violencia y, cuando los abrió de nuevo, una diabólica sonrisa danzaba en ellos.

Segundos después penetraba en el salón.

Lawrence se hallaba hundido en el diván con un cigarrillo entre los labios. Tenía una media sonrisa de sarcasmo en los labios y una arruga en la frente.

Al ver a su prima, no movió la boca.

—¿Y madrina?

—Se ha retirado —repuso él con indiferencia.

Perla se dejó caer a su lado y con sus dos manos apretó el brazo masculino contra su cuerpo.

—Cariño —susurró melosa—, hace mucho tiempo que no estamos solos.

—¿Y para qué quieres estarlo, Perla?

—Para verte mejor, para oír tu voz, para sentir tu contacto.

—Muy conmovedor.

—¡Law!

El joven se puso en pie y fue a aplastar el cigarrillo en el cenicero que había sobre la repisa de la chimenea.

—¿Vamos a pasar aquí las Navidades, Law?

—Supongo.

Ella contempló la sortija que lucía en uno de sus dedos y sonrió zalamera.

—Law, cuando me pusiste esta sortija en el dedo me sentí la más feliz de las mujeres.

Él volvió los ojos y la miró vagamente.

—Quizá tengas que quitártela, Perla.

De un salto, ella se aproximó.

—¿Quitármela? ¿Por qué, Law? Yo te amo y tú me amas. Me lo has dicho muchas veces.

Lawrence retiró con gesto cansado un mechón de cabellos que le caía sobre la cara y sonrió forzadamente.

—Por supuesto que sí. Verás, cuando ves una cosa que no te interesa mucho, pero que tienes que adquirir sin remedio, siempre eliges el tipo que más te gusta. Bien. Pero en un momento dado resulta que sientes ansias de otra que no sólo te parece atractiva, sino que te agrada y deseas por muchas causas. Dime, ¿Qué debe hacer un hombre en este caso?

—Cuando se trata de un caballero, debe quedarse con la primera.

—De acuerdo. Pero resulta que la primera no le interesa, y en cambio, ama desesperadamente a la segunda. ¿Qué debe hacer el caballero?

—Conservar lo primero siempre, siempre.

—Sí, claro, y tirarlo después por la ventana, ¿no? Y quedarse más tarde sin nada. —Con su acostumbrado despotismo, añadió—: Perla, yo encontré el segundo objeto y pienso adquirirlo. Por lo tanto, tendré que tirar el primero.

—Un *lord* de Inglaterra da una sola palabra y esa palabra la tengo yo.

Los ojos del aristócrata, aquellos ojos verdes y fríos que sólo se impregnaban de ternura cuando se clavaban en la faz de Nemie, se abatieron bajo el peso de los párpados perezosos.

—Querida Perla, yo creo que cuando una mujer es una dama, no debe esperar a que el caballero retire su

palabra. Ella tiene el deber, como dama y mujer espiritual y comprensiva, de evitar la violencia del caballero.

—Pues jamás, ¿me oyes, Law?, jamás consentiré que
retires tu palabra.

—Está muy bien —admitió él, sacudiendo elegante-
mente la mota de polvo que salpicaba su americana os-
cura—. Entonces nos casaremos, Perla. Yo soy así. Vamos a casarnos estas Navidades. Pero no me reproches
después lo que pueda suceder. Yo te daré mi nombre, Perla, ¿comprendes?, pero no puedo darte mi cariño, porque amo desesperadamente a otra mujer.

Y, sin esperar la respuesta de ella, se alejó con indiferencia lenta y mesuradamente hacia el umbral. Desde allí
se volvió y dijo:

—Ella hubiese renunciado, Perla. Pero tú eres diferente; por eso no te amo.

Apretó los puños la joven y juró que se vengaría. Oh,
sí, se vengaría de ella y después de él.

Siete

Los campos, aquel amanecer, aparecieron cubiertos totalmente de una capa blanca, espesa y helada. Nemie, desde la ventana del cuarto que compartía con Ketty, miraba sin ver la llanura inmensa, impoluta y fría, preguntándose qué nueva emoción o dolor la esperaría durante aquel día que nacía tan blanco y tan puro.

Sonó violentamente el timbre, y Nemie dio un salto.

—¿Has oído, Ketty? Es el timbre de la señorita Perla.

—Ve a ver qué quiere, Nemie. Y sé humilde, querida. Si está de mal humor, sopórtala estoicamente, y si está enferma comunícalo en la cámara de *lady* Cutlar.

—Perfectamente.

Nemie no había referido a Ketty lo sucedido la noche anterior. ¿Para qué? Ella no la hubiese comprendido. Además… «Debes domeñar tu corazón, Nemie. Písalo y estrújalo, pero jamás te hagas la ilusión de que un grande de Inglaterra puede casarse con una simple doncella.»

Sonrió con amargura y se precipitó a la escalera. Se detuvo en el umbral y miró interrogante a la muchacha, que, enfurecida en medio de la estancia, la taladraba con sus ojos.

—Ha desaparecido mi sortija de pedida, Nemie —dijo Perla, con rabia—. ¿La has visto?

—No, señorita Perla.

—Fuiste la última que estuvo anoche en mi alcoba. La dejé sobre esta mesa cuando tú me preparabas el baño.

—¿Y no estaba cuando regresó?

—No me fijé. Es ahora cuando la noto en falta.

—Lo siento, señorita Perla.

—No se trata de sentirlo, Nemie. Se trata de algo de mucho valor que debe aparecer inmediatamente. Y tú eres la responsable. Llamaré ahora mismo a la policía.

—Antes debe buscar, señorita Perla.

—Estoy bien segura de que la dejé aquí… Tan segura como de mi nombre. Así, pues, voy a llamar a la comisaría más próxima. Vale muchos miles de libras y, además, es mi sortija de pedida. Lamento lo sucedido tanto como tú, pero creo que eres la mayor responsable.

—Me asusta usted, señorita Perla.

Y en realidad estaba francamente asustada. Ella no había visto la sortija y no se explicaba por qué Perla le hablaba en aquel tono despectivo y autoritario.

Observó que Perla se dirigía al teléfono y se precipitó hacia ella.

—A *lady* Cutlar no le agradará en absoluto que haga usted eso. En esta casa jamás entró la policía y será de muy mal gusto verla ahora, señorita Perla. Estoy segura de que la señora no aprobará en forma alguna su proceder.

—Me importa un bledo lo que piense madrina. Es mi sortija y estoy segura de que la dejé aquí anoche.

Y con dedo nervioso marcó el número sin vacilar. Los ojos de Nemie la contemplaron fijos, como si la viera por primera vez. Oyó cómo ella hablaba precipitadamente y después, despidiéndose amablemente, colgaba el receptor.

—Vendrá en seguida —dijo con los labios juntos.

Pasó ante Nemie obsequiándola con una mirada despectiva, y al llegar a la puerta de la alcoba se volvió para decir violentamente:

—Puedes retirarte, Nemie... Voy a comunicárselo a madrina y a mi prometido. A ti te llamaré cuando te necesite.

Nemie quedó desconcertada y palidísima. No comprendía el motivo por el cual Perla le hablaba de aquel modo despótico y rudo, como si en realidad ella fuera la culpable de todo. No había visto la sortija. Jamás se fijó en que Perla la lucía en su dedo. ¿Por qué, pues, se dirigía a ella como si en realidad fuera la culpable de su desaparición?

Se encogió de hombros, y corriendo al cuarto de Ketty, se lo dijo con acento ahogado y vacilante. Y Ketty se enfureció.

—¿Dices que llamó a la policía?

—Así es.

—Ni a la señora ni a su hijo agradará semejante cosa. En el castillo jamás entró un tipo de ésos y creo que Perla ha cometido una tontería esta mañana. De todos modos, Nemie, no tienes por qué temblar de ese modo. ¿Acaso has visto la sortija?

—Por supuesto que no.

—Entonces, deja de mirar como animal acorralado y ve a la cocina a disponer los desayunos de los señores.

En la cocina había revuelo. Leonor, que regresaba de la cámara de *lady* Cutlar, había contado lo sucedido y todo el mundo estaba asustado y violento. Los servidores del castillo siempre habían sido de absoluta confianza. Hombres y mujeres, viejos y fieles, criados al amparo de la gran casa. Seres de absoluta confianza que jamás se habían apoderado de un alfiler... Y, sin embargo, en aquel instante la policía se encaminaba hacia allí para hacer un registro en regla sin tener en cuenta que de todos, absolutamente de todos, respondía la propia *lady* Cutlar.

Entretanto, en la alcoba de ésta se hallaba una Perla enfurecida y llorosa. Lawrence, envuelto en el batín por cuyo borde asomaba el pijama negro, los cabellos peinados hacia atrás, sin agua ni goma y en los labios danzando una sonrisa desdeñosa, miraba a su prima y luego a su madre.

—Pero has debido advertirme, Perla. Has cometido una tontería llamando a la comisaría. En esta casa no he visto jamás un policía y me molesta enormemente que hayas sido tú, precisamente, quien la haya llamado.

—Pero es mi sortija, madrina.

—En efecto, una sortija de gran valor, mas no creas, querida mía, que haya sido sustraída por uno de mis servidores. He dejado en mi joyero abierto collares y prendedores de un valor incalculable, de un valor infinitamente mayor que tu sortija, y jamás he notado la falta de nada. ¿Qué es lo que pretendes al llamar a la policía?

Lawrence respondió por ella:

—Tal vez pretende que dicha sortija se halle oculta en el bolsillo del delantal de uno de nuestros servidores. —Cambió el tono serio de su voz por un acento irónico y fascinador a la vez—: Creo, Perla, que estás portándote de un modo absurdo.

—¿Por qué? La sortija tiene que estar en el castillo. La dejé ayer noche sobre la mesa de laca cuando mi doncella preparaba el baño. Y esta mañana he visto que había desaparecido.

—¿Tu doncella? —preguntó *lady* Cutlar, con irritación—. ¿Y quién más entró en tu habitación, Perla?

—Que yo sepa, nadie más.

—Pretendes entonces…

Lawrence soltó una estrepitosa carcajada. Era una risa violenta y dura que lastimó el corazón de la joven. Lo miró. Los rígidos rasgos del rostro de Lawrence recordaban la efigie de un ascético antepasado de la época de las Cruzadas. Lo vio abatir los párpados y decir después:

—Lamento esta equivocación, Perla. —Su voz era mesurada e indiferente. —No creo que Nemie haya sentido deseo alguno de robar tu linda sortija de pedida. La tendrás por algún rincón de tu cuarto y será lamentable el ridículo a que estás expuesta. Ahora, con vuestro permiso, me retiraré. He de vestirme para recibir al comisario.

Hubo un largo silencio en la estancia. *Lady* Cutlar tenía el rostro contraído, y Perla aparecía sumisa y callada, encorvada ante su madrina.

—Desapruebo tu proceder, Perla. Quiero que lo sepas. Ahora permíteme que llame a Leonor y me vista. Deseo estar contigo cuando venga el comisario.

Lawrence vestía un simple traje de franela gris. No llevaba corbata y el cuello de la camisa, muy blanco, recién planchado, se abrochaba con sencillez. Tenía los cabellos muy negros, peinados hacia atrás, y en los labios desdeñosos, un poco crueles, el cigarrillo danzaba indiferente. Nemie había evitado mirarlo. Todos los criados se hallaban alineados en medio del vestíbulo, *lady*

Cutlar y su sobrina, enfrente, y el comisario de policía daba órdenes con voz estentórea a uno de sus subordinados. Los ojos de Lawrence, casi ocultos bajo el peso perezoso de los párpados, los miraban a todos irónicamente. Había una risa burlona y fría en aquella boca de trazo firme. Se diría que se estaba burlando olímpicamente del comisario, de su prima y hasta de su madre. Pero no de los criados, entre los cuales estaba la mujer que amaba.

—Bien… —resumió el comisario con frialdad—. Dicen ustedes —se dirigía a los mudos y tiesos criados— que no han visto la sortija de la señorita Cutlar.

—Así es —repuso Ketty por todos.

—¿La doncella de la señorita Cutlar?

Nemie dio un paso al frente. Estaba un poco pálida, sus labios temblaban perceptiblemente. Lawrence no movió un músculo de su rostro, pero los ojos se clavaron quietos y duros en las facciones alteradas de su prima, como diciéndole: «Esto no te lo perdonaré jamás».

—¿No ha visto usted la sortija?

—No, señor —repuso Nemie, con sencillez y naturalidad, sin un átomo de vacilación.

—No obstante, la señorita Cutlar asegura haberla dejado en la mesa. Y usted fue la única que visitó su estancia ayer noche.

—No la he visto, señor.

El comisario se volvió hacia la dama.

—Si usted me lo permite, efectuaré un registro en el castillo.

—Es lamentable, señor comisario. Pero…

—Inevitable —terminó el representante de la ley, con cierta indiferencia.

Uno de los dos policías que acompañaban al comisario, a un ademán de éste, se adentró en el vestíbulo. Después, tras otro ademán de la dama, Ketty se unió a él y los demás quedaron en el vestíbulo.

Los minutos de espera fueron tensos y duros. Lawrence continuaba fumando, recostado contra la pared. *Lady* Cutlar, hundida en una butaca, miraba fijamente el brillante parquet, y Perla, temblorosa, esperaba el regreso de los policías y el final de todo aquello.

La espera fue corta. En el umbral se destacó la muda figura de un hombre, y tras él, el rostro muy pálido, casi lívido, del ama de llaves. Esta no miró más que a una persona. A una persona que, indiferente, tenía los ojos clavados en el ventanal a través del cual se divisaba el parque cubierto de nieve.

—La hemos encontrado, señor comisario —dijo el agente, mostrándola.

Perla dio un salto, como si fuera a apoderarse de ella. *Lady* Cutlar se incorporó, expectante, en la butaca. Lawrence dejó su inmovilidad y clavó los ojos en aquellos brillantes, deslumbradores, que casi cegaban sus pupilas.

—¿Dónde? —preguntó con acento raro, adelantándose hacia el comisario.

—¿Dónde? —preguntó a su vez la dama.

Y Perla preguntó también, como si aquella pregunta fuera absolutamente necesaria:

—¿Dónde, señor comisario?

El policía estiró el cuello y declaró, con voz segura y firme:

—En el cajón de una cómoda. Ella —y el dedo del policía, pálido y largo, señalaba al ama de llaves— sabe a quién pertenece aquella alcoba.

Nemie aún no se había dado cuenta de nada. Sabía tan solo que la sortija había aparecido y que aquella escena ridícula iba a concluir.

Pero cuando oyó la voz queda de Ketty, cuando se dio cuenta de que la sortija había aparecido en la cómoda de su cuarto, cuando ansiosamente buscó los ojos de *lord* Lawrence y observó en ellos una mirada fría y dolorosa en un rostro densamente pálido, creyó que el fin del mundo estaba allí, y nunca como en aquel instante sintió la falta de su madre o de su padre. O del mismo León, que jamás la hubiese creído una vulgar ladrona.

—Aquella alcoba pertenece a Nemie Lemaire.

Esta soportó el golpe con estoicismo. Miró en todas direcciones como animal acorralado y halló en todos los rostros estupor, dolor, rabia y extrañeza.

—Yo… yo…

La mano del comisario cayó ruda y violenta sobre su brazo.

—Se vendrá con nosotros. Es indispensable.

—No, no he sido yo.

—Todas dicen igual. Vamos, disponga sus cosas y venga conmigo. Creo que no le vendrá mal permanecer una temporada en silencio y a la sombra.

Lady Cutlar se levantó al fin de la butaca. Estaba palidísima y sus labios temblaban.

—Nemie —susurró, casi sin voz—. Nunca lo hubiese creído de ti.

—Milady, juro que yo…

—Lo siento mucho, Nemie. Creía en ti como en mí misma —dijo la dama, con acento quedo—, y me has decepcionado. Jamás hubiese creído que una simple sortija… —Aspiró hondo y miró a Nemie con más detenimiento. — Tus padres siempre fueron honrados, Nemie. Creí que tú… Podía responder de mis criados, pero no me di cuenta de que tú eras nueva en el servicio.

Una voz resonó en la estancia. Era una voz profunda y bronca que todos temían y respetaban. Y aquella voz puso en el corazón de Nemie un bálsamo consolador, tierno y callado.

—Ella no ha sido, mamá.

—¡Lawrence!

—Quise gastarle una broma a Perla y la oculté allí. Creí que era la cómoda de nuestra querida Ketty.

Hubo un momento de tensión. Nadie lo creyó. ¡Oh, no! Nadie. Pero lo decía *lord* Lawrence y la policía tenía muy poco que hacer ya en el castillo.

—Lawrence, ha sido una broma de mal gusto y la has dejado llegar demasiado lejos.

—Advertí a Perla de que no llamara a la policía —dijo él con indiferencia.

Y su arrogante figura se perdió en el largo pasillo. Sus pasos firmes se oyeron después ascender por la escalera y en seguida al vestíbulo llegó el golpe de la puerta del despacho al cerrarse.

Nemie aún estaba tiesa y firme en mitad del vestíbulo. Ignoraba que Lawrence había dicho una piadosa mentira para librarla de la vergüenza. Suponía que era sincero. Sólo una persona sabía positivamente que había mentido, pero aquella persona apretaba la sortija con violencia en la palma de su mano, y en su corazón penetraba una rabia sorda y cruel.

—Bien —admitió la dama, sin demasiada convicción—. Todo ha concluido. Lo siento mucho, señor comisario.

Este se inclinó en silencio, hizo un gesto a sus dos subordinados y se despidió. Minutos después, el rodar del auto se oyó a través del ventanal abierto.

Dos días después, aun sin que ella pudiera ver a Lawrence, se anunció en el castillo la próxima boda del heredero con su prima Perla.

Ocho

El parque se veía repleto de lujosos automóviles. Había nevado durante la noche y algunos de aquellos vehículos aparecían totalmente blancos. Jim y James procedían a limpiarlos en silencio. Entretanto, de la capilla del castillo salía la pareja recién casada. Él alto, fuerte y moreno. Ella vestida de blanco, frágil, linda y altiva.

Nemie, con los ojos terriblemente secos, brillando, iba de un lado a otro enfundada en su uniforme negro. Servía el aperitivo con mano firme. Nadie diría que el corazón de aquella muchacha estaba destrozado. ¡Bah! Se fijaban en ella porque era bonita, elegante y distinguida, pero a nadie se le ocurría mirar hacia su interior.

A partir de aquel día, del día en que creyó morir culpada de algo que jamás había hecho, la confianza de la dama ya no existía. La miraba como si fuera una extraña y la trataba de usted y guardaba sus joyas en el cofrecito de oro cerrado con llave. En la cocina no le hicieron preguntas. Ketty sabía que Nemie no había robado jamás. Y si existía alguna duda en Leonor o en James, los demás criados la desvanecieron. Habían visto crecer a Nemie, conocían su corazón de niña y después de mujer, y jamás dudaron de ella, mas para nadie era un secreto que *lord* Lawrence había mentido. Y si no fue Nemie, ¿quién robó la sortija ¿Quién la puso en la cómoda de Nemie? Nadie daba la respuesta a estas preguntas calladas y formuladas diariamente cientos de veces. Pero todos sabían quién había sido. Oh, sí. Todos lo adivinaban. Quizá todos menos él y *lady* Cutlar.

Nemie vació su bandeja y regresó a la cocina. Neri y Leonor hablaban en voz baja; al llegar ella, callaron y entonces Nemie preguntó:

—¿No puedo saberlo?

—No merece la pena, Nemie.

—¿Continuáis aún con el asunto de la sortija?

—¿Por qué no?

—No merece la pena preocuparse por una cosa que ha sido simplemente juego de enamorados.

Neri y Leonor cambiaron una mirada de inteligencia, pero nada dijeron. Leonor fue hacia Nemie y la besó en la frente.

—Lleva esta bandeja, Nemie. Eres una muchacha demasiado inocente. Anda, están esperando. El acontecimiento de hoy es muy interesante.

La cofia blanca parecía una diadema en su cabeza morena de cabellos muy negros, casi azulados. Su breve cintura esbelta sostenía el hermoso busto de deidad mitológica. Llevaba la bandeja en la mano e iba de un invitado a otro sin una vacilación, grácil, elegante y sonriente. Un criado llevaba otra bandeja llena de licores.

—Una doncella de película, Law —dijo un amigo, mirando a Nemie con los ojos entornados—. Bella mujer y distinguida dama. ¿De dónde la has sacado? ¿O es una princesa de incógnito?

—Es la doncella de mi mujer —repuso Lawrence con acento grave.

—Voy a pedirle que se case conmigo —rió el otro con admiración, sin apartar los ojos de la mujercita diligente y bella que ahora se aproximaba con paso firme y elástico—. Apuesto a que ningún otro marido podría presentar en la corte mujer más distinguida ni más bella.

—¡No digas tonterías!

Los ojos de Lawrence estaban obstinadamente clavados en la figura que cada vez sentía más cerca. La vio detenerse al lado de un esbelto caballero de pelo encanecido, rostro rugoso y mirada bondadosa que brillaba de una forma rara al clavarse en Nemie. Observó después cómo los dedos de aquel hombre apenas rozaban las sienes de Nemie y ésta devolvía la caricia con una dulce sonrisa triste.

—¿Quién es ese caballero, Max? —preguntó Lawrence sin dejar de mirar a Nemie, que ahora hablaba con el caballero mencionado—. No le he visto jamás.

—Ah, ¿te refieres al americano? Es amigo mío y de tu madre. Se lo presenté en una reunión social hace apenas dos meses. Cuando recibí la invitación para tu boda, *lady* Cutlar tuvo el acierto de incluir otra para mi amigo. Es todo un caballero.

—Pero ¿quién es?

—Ya te lo he dicho. Un americano multimillonario que pasó los mejores años de su vida cultivando algodón… Nos conocimos en una estación. Desde entonces somos excelentes amigos —sonrió Max con ironía—. Me he preocupado de introducirlo en nuestro círculo social. Ya sabes tú que el dinero hace milagros, Law. Y ese caballero entra en los salones de la corte como si en vez de llamarse Andrei Morozov a secas ostentara un título tan añejo como el tuyo.

—¿Ruso?

—No lo sé. Pero dice que es americano descendiente de rusos. Una buena persona.

Nemie se aproximaba ahora. Gentil, bonita. Lawrence evitó mirarla a los ojos. ¿Para qué? Todo había terminado. Ella lo había matado sin piedad convirtiéndose ante sus ojos, de reina encantada, en una vulgar ladronzuela.

—Milord… Conde…

La voz era armoniosa. Max se inclinó hacia ella para verla mejor.

—¿Cómo te llamas, querida mía?

Lawrence parpadeó. Max era un descarado y un…

—Nemie Lemaire.

—Bonito nombre. Pero no tanto como tú. Pareces una princesa disfrazada.

Nemie sonrió. A todos sonreía de la misma manera. ¿Cómo sonreiría al hombre de su vida?

Lawrence apretó los puños. Estaba muy pálido y sus labios temblaban, pero más temblaba su mano al coger la copa que ella le daba. Al tocarse sus dedos, Lawrence, impulsivo, sujetó los de ella contra el cristal y, aprovechando que Max se alejaba en dirección al caballero americano, dijo bajito:

—Nemie.

Ella se apartó brusca.

—Nemie, yo… Tú sabes que te amo.

—Lo ha demostrado muy bien, milord —repuso Nemie con sonrisa inmutable.

—No robaste la sortija, ¿verdad?

Los ojos de Nemie se elevaron. De súbito sonó en el salón el estrépito de una bandeja al caer al suelo y de las copas de cristal al estrellarse contra el brillante parquet...

—Nemie...

Ella continuaba mirándolo con dureza. Muchos ojos se volvieron y gravitaron sobre el *lord* y la doncella, que, uno frente a otro, se miraban fijamente. Y Lawrence se sintió de pronto desarmado, destrozado ante aquella mirada áspera, terriblemente inmóvil, que lo contemplaba como si lo viera por primera vez, y en vez de ser un hombre, fuera sencillamente un monstruo. Y fue en aquel instante cuando Lawrence Cutlar comprendió con absoluta claridad y exactitud que Nemie Lemaire jamás robó la sortija de prometida de su prima Perla.

—¿Por qué no lo dijiste? —susurró con los labios juntos—. ¿Por qué no me buscaste para que yo lo supiera?

—¿Y por qué me engañaste tú? —preguntó ella en el mismo tono, brillantes los ojos, tuteándolo por primera vez—. ¿Por qué afirmaste que la escondiste si era mentira? ¿Por qué?

Dio la vuelta sin esperar la respuesta y se alejó. Cruzó el salón erguida y soberbia y al llegar a la cocina dijo con extraño acento:

—Leonor, ocupe mi lugar. Yo me voy del castillo ahora mismo, en este instante.

—¡Nemie!

—Todos me habéis engañado. ¡Todos! Él no escondió la sortija. Aún creía que había sido yo, ¡yo!, que antes me dejaría matar que apoderarme de nada que perteneciera a esa mujer. —Dio un paso atrás y miró la figura altiva de *lady* Cutlar, que la oía desde el umbral—. ¡No fui yo! —gritó

86

desesperadamente—. Nunca hubiese cogido nada de ella. ¡Nada, nada!

—Ve al salón, Nemie —ordenó, fría, la voz de la dama—. Y otra vez procura dominar tu orgullo de mujer ante mis invitados. No eres más que una doncella. ¿Acaso has creído alguna vez que *lord* Lawrence podía casarse contigo?

—¿Por qué no, amiga mía? —replicó una voz de hombre tras ella—. ¿Por qué no?

—Señor Morozov... —balbució la dama, nerviosamente.

En la cocina se oyó un grito, seguido de otro y otro, y de súbito la figura de Ketty se precipitó sobre el recién llegado.

—¡Jusepp Lemaire!

Un silencio largo y tenso siguió a la pronunciación de aquel nombre. El llamado Jusepp agitó la cabeza blanca y su mano rugosa acarició los cabellos de Nemie.

—¿Por qué no, *lady* Cutlar? —volvió a preguntar la voz ronca y mesurada.

—Jusepp Lemaire... —susurró la dama con extraño acento.

El caballero estrechó el cuerpo tembloroso de Nemie entre sus brazos y murmuró:

—Sí, hijita. Estoy aquí. Creo que he llegado cuando más me necesitabas.

Nemie le abrazó angustiada, y aquella vez lloró de verdad. El caudal de su llanto era infinito. Lloraba de emoción, de rabia, de placer y de tristeza. Lloraba porque no podía soportar la emoción de ver a aquel a quien siempre, siempre había esperado. Y lloraba por otras muchas causas. Y lloraba porque aquel que estaba en el salón, que se había casado aquella mañana, la creía culpable de algo vergonzoso y terrible. ¿Cómo era posible que él, el que decía amarla, la creyera una vulgar ladrona? ¡Él, él...!

Sintió los labios trémulos en su frente y se apretó con intensidad contra el cuerpo de Jusepp. Se apretó contra él y cubrió el rostro de callados besos, como si de aquella forma evitara que todos presenciaran su congoja.

El caballero la apartó y dijo:

—Prepara tus cosas, Nemie. Nos vamos en seguida. —Luego miró a la dama, que, muda y absorta, lo contemplaba, y añadió lentamente—: Quisiera hablar con *lady* Cutlar unos instantes, a solas, por supuesto.

La dama, con un gesto, le indicó el camino y ambos desaparecieron.

Minutos después, sentados frente a frente, se miraron fijamente por primera vez.

—*Lady* Cutlar, le confié a mis hijos. Pero jamás creí que hiciera usted de mi querida Nemie una vulgar doncella de la que un día creyó su hermana.

—Lo lamento, se... Jusepp.

—¿Por qué no señor Lemaire? Hemos de vernos muchas veces, amiga mía —añadió cortés, pero suavemente irónico—. Por desgracia o por suerte pertenecemos a un mismo círculo social. Oh —dijo, agitando la mano—, no me diga que somos diferentes. No. El dinero es la llave del mundo y yo lo poseo. Poseo tanto, tanto, que no puedo contarlo. Me ha costado días de duro trabajo. Duros, fríos, ásperos y terribles, pero conseguí mi objetivo. Y estoy aquí. En cierto modo no tengo nada que reprocharle a usted, puesto que ha criado a mi hija... Pero yo no esperaba hallar el corazón de Nemie destrozado y es así, sin embargo. La habéis culpado de ladrona… La habéis pisoteado y ahora yo he venido a llevármela. Un día usted llegó a mi casa sollozando. Nos llamó amigos y nos pidió un favor… Un favor que sólo podía solicitarse a un hermano o a un pariente muy querido. Y yo hice aquel favor. Engañé a mi esposa enferma. Ella sufrió por Perla y yo sufrí también como si fuera mi propia hija. ¿Y usted qué hizo de la mía a cambio de aquel favor? Usted sabe muy bien, *lady* Cutlar, que yo jamás me hubiese atrevido a pedir la recompensa, pero la creí a usted una mujer bondadosa y agradecida, y me ha pagado usted con nueces lo que yo pagué con oro. Bien. No pienso entretenerme mucho tiempo. Sólo exijo que busque usted al verdadero autor de la substracción y lo desenmascare en público. ¿Por qué no trata de buscar en el corazón de su amada Perla? Oh, Perla siempre ha sido una muchacha muy astuta. He seguido todos sus pasos, *lady* Cutlar. Y he sabido que mientras usted vivía en Londres, alguien, caritativo y bondadoso, educaba a mi hija. Y he sabido también que cierto caballero…

—Señor Lemaire…

—Que cierto caballero inglés amaba a Nemie. Pero estaba prometido a otra mujer. Y esa mujer tenía una sortija que fácilmente podía quitar de su dedo, colocarla luego en un lugar perteneciente a la otra muchacha y culparla al día siguiente ante su novio… Es una estratagema digna de ella. —Se puso en pie y sonrió. —Ya me voy, *lady* Cutlar. Sepa usted que hace un año sigo de cerca los estudios de mi hijo. Su administrador de usted podrá entregarle el dinero. En realidad, siempre hemos sido buenos amigos. No tengo necesidad de decirle que fue él quien me tuvo siempre al corriente de todo. No he venido a buscar a Nemie porque… porque necesitaba hacerle un lugar en la sociedad londinense. Ahora ya he conseguido mi objeto. He conseguido todo lo que deseé en mi vida, menos resucitar a mi pobre Alicia.

—No quisiera, señor Lemaire…

—Oh, no se preocupe —sonrió él, agitando la mano con elegancia—, nos veremos muchas veces. Pienso presentar a mi hija en la corte. Tengo buenos amigos y excelentes relaciones en ese círculo tan amplio que para el dinero nunca cierra sus puertas. He logrado mucho y me siento orgulloso de mí mismo, pero a veces, muchas veces, experimento un gran desprecio hacia ese vil metal que ocupó los mejores años de mi vida. Todo lo que se compra con dinero es muy interesante en cierto modo. Yo he comprado toda mi vida, la vida de mis hijos y la sociedad que no dudará en admitirlos… Le estoy muy reconocido, *lady* Cutlar —concluyó, inclinando su venerable cabeza y perdiéndose después tras la cortina de terciopelo rojo.

Nueve

Un criado abrió la puerta del palacio y Nemie se adentró en el vestíbulo lujosamente decorado. No había nada rebuscado en aquella decoración. El espíritu exquisito de Nemie Lemaire se apreciaba en los más mínimos detalles. Saludó a su doncella, y en dos saltos cubrió la distancia que la separaba del despacho de su padre.

—¡Papá!

—Pasa, Nemie.

Se apretó contra él y cubrió de besos dulces y cálidos el rostro rugoso.

—Papá, cada día siento que te quiero más. Es como si yo hubiese resucitado.

—¡Locuela!

—Papá, papá, muchas veces me pregunto si yo merezco todo esto. Papá...

La sentó en sus rodillas y le quitó el turbante. La miró arrobado:

—Eres muy bella, Nemie. Terriblemente bella. Nunca pude olvidar a mi dulce Alicia. Ella me ayudó a trabajar. El estímulo de aquel recuerdo dulce y amargo a la vez me inclinaba sobre el campo cuando estaba agotado, y yo seguía trabajando y recordando a mi esposa y a los hijos que me esperaban. Hoy hace diez meses que estás a mi lado, Nemie. Y cuatro que te presenté en la corte. Y tres que te conocen como la mujer más bella de Inglaterra, la más admirada y más querida. Pero tú me haces sufrir, Nemie. Max es un muchacho arrogante. Es un noble de Inglaterra y yo quisiera que tú…

—Oh, papá, tú sabes… tú sabes que yo no puedo amar a Max. Es un compañero ideal, me lleva a todas partes, le quiero mucho, pero jamás podría admitir la idea, sólo la idea, de verlo convertido en mi marido. El hombre de mi vida.

—Nemie —susurró Jusepp con pesar—, el amor es una tontería.

Nemie, de un salto, se plantó en mitad de la estancia.

Ahora no tenía que disimular. Era ella tal cual Dios y la Naturaleza la habían formado. No llevaba uniforme ni tenía que servir a una muchacha déspota y fría. Vestía un modelo de Dior y tenía una doncella para ella sola.

— Papá, ¿dices tú eso? ¿Tú, el hombre que por amor se enterró en un lugar ignorado, solo, con el estímulo de un recuerdo? ¿Tú, que has amado y amarás hasta la muerte?

—Oh, Nemie…

—No, papá. Déjame libre y feliz. No me encadenes a un hombre a quien me repugnaría besar. Y quiero besar, ¿sabes, papá? Besar hasta saciarme cuando me case, y yo sin amor… no besaré.

—Nemie, me asusta tu ímpetu.

— Sí, yo también me asusto. Pero sé domeñarme, papá. Aprendí a domeñarme cuando vestía un uniforme negro y una cofia blanca —dijo calladamente—. Aprendí a estrujar mi corazón oyendo la apasionada declaración de un hombre. Lo destrocé para dárselo a otra y ahora…

—¿Se lo quitarás, Nemie?

La joven sonrió agitando la cabeza negativamente.

—No —dijo con tristeza—. Es de ella. Lo consiguió con engaños, pero aun así le pertenece. Le pertenece, ¿sabes? ¡Oh, sí, todos sabemos que le pertenece!

Sonó un golpecito en la puerta y la voz de Jusepp dio el consentimiento para entrar.

—Dos señoras desean ver a la señorita —dijo la voz del criado—. Aseguran que es algo urgente.

—Pásalas al salón. Iré en seguida.

Al abrirse la puerta segundos después, Ketty y Leonor corrieron hacia Nemie. Esta lanzó un grito, abrió los brazos y las dos se precipitaron en ellos, riendo y llorando.

—Mis queridas amigas —susurró, mirándolas dulcemente.

—Oh, Nemie, teníamos que venir, ¿sabes? Aquello quedó muy triste. Ella murió.

—¿Ella?

—*Lady* Cutlar —declaró Ketty con pesar—. Murió sin decir nada. Leonor le llevó un vaso de leche por la noche, y al día siguiente apareció muerta en el lecho. Un colapso, ¿sabes?

—¿Por qué no me lo dijiste?

—¿Para qué? Le vi llorar a él. Lloraba como un niño. Se mesaba los cabellos… Jamás he presenciado desesperación mayor.

—¿Y ella?

—Inmutable. ¿Sabes? —añadió Leonor—. No es feliz. Dicen que él casi no le habla… Aquello fue muy duro para los dos.

—¿Qué fue ello, Leonor?

—El asunto de la sortija. La misma noche de su boda, antes de marchar de viaje, *lady* Cutlar los encerró en su alcoba y preguntó a Perla… Ella tuvo que decir la verdad.

—¿La verdad?

—Claro. Fue ella quien ocultó la sortija en tu cómoda. Dijo que amaba a Lawrence y… pretendía defenderlo.

Una débil sonrisa entreabrió los labios de Nemie.

—Una forma estúpida de defender lo que ya no le pertenecía. —Encogiéndose de hombros añadió, sonriente, con una sonrisa triste y callada—: No hablemos de ello. Que se entiendan como quieran. Pero mi deber es darle el pésame y pienso hacerlo por carta.

—Pasarán allí los primeros meses de luto y luego se vendrán a Londres. Los encontrarás muchas veces, Nemie. ¿Sigues domeñándote?

—Mi querida Ketty, aquello pasó —dijo, queriendo mostrarse alegre—. No tengo nada que domeñar porque mi corazón está libre y curado.

—Eso me satisface, Nemie. ¿Sabes que venimos a solicitar trabajo en tu casa? A *lady* Cutlar no la hubiéramos dejado nunca. Pero a ella… es déspota y orgullosa y nos humilla a cada instante. Neri también murió. Se cayó al bajar la escalera a consecuencia de ello…

—Fue la semana misma de haber marchado tú.

Hubo un silencio. Después, Ketty dijo:

—Quisiera ver a tu padre, Nemie.

—No es preciso, Ketty. Ya lo verás. De todos modos, ambas os quedáis conmigo. No tenemos una mujer que gobierne y Ketty lo hará muy bien. Leonor, tú harás lo que quieras.

—El correo, señor —dijo Jim, depositando la bandeja de plata en la mesa de despacho.

Lawrence apenas si movió los labios. No miró el correo. ¿Para qué? Siempre las mismas cartas y los mismos periódicos. Cogió una revista al azar. En primera plana una fotografía de mujer, bella, seductora, dulce e ingenua. El cuerpo atlético de *lord* Cutlar se agitó convulsivamente. Era ella, ella, Nemie Lemaire, que hacía furor en los salones de la corte. Por su gracia, su simpatía, su buen gusto y su innata y sencilla elegancia.

«Ayer noche tuvo lugar una fiesta en los suntuosos salones de *lord* Pavel, y fue elegida reina de honor la muy distinguida señorita Nemie Lemaire.»

Estrujó la revista con irritación y la lanzó a la papelera. No quiso continuar leyendo los muchos elogios que hacía a la belleza y distinción de la joven damita. ¿Para qué? Los sabía de memoria. Él estaba preso. Preso allí en poder de otra mujer. De aquella mujer odiosa que iba a darle un heredero…

Tenía la frente plegada en una profunda arruga y los ojos semicerrados. Cogió una carta y la abrió. De un banco; abrió otra y otra. Todas parecidas. O bien solicitando un donativo para una sociedad benéfica o…

Aquella carta despedía un perfume sutilmente femenino. No conocía la letra. Era larga, corrida y muy personal. Lawrence, que había estudiado algo de grafología, pensó automáticamente:

«Corazón ardiente y bondadoso. Ingenua y apasionada. Sociable y...»

—¡Nemie! —exclamó al llegar a la firma.

Crispó los dedos y leyó, al fin, con los ojos casi cerrados:

«*Lord* Lawrence Cutlar.
»Wewyn Garden City.
»Ruego a usted me perdone este pequeño retraso. Me he enterado hoy de la muerte de nuestra querida *lady* y me apresuro a participarle que me siento cerca de usted en su dolor. Amaba a *lady* por su bondad y su gran corazón y jamás tuve contra ella motivo alguno de queja. Sepa usted, *lord* Lawrence, que he sentido profunda y sinceramente su desaparición. Y sepa asimismo que estos días me siento muy cerca del castillo y de usted.
»Le saluda atentamente, su amiga,

»NEMIE LEMAIRE.»

El pliego danzaba todavía ante sus ojos cuando se abrió la puerta y Perla apareció en el umbral. Vestía un elegante salto de cama sobre el camisón de dormir, y presentaba profundas ojeras; Lawrence apenas si levantó los suyos para mirarla.

—¿Hay alguna carta de mi modista, Law? —preguntó, avanzando.

—Lo ignoro.

Ella revolvió entre las cartas aún cerradas y se irritó. Perla siempre se irritaba con suma facilidad, pero a Law, duro e impasible, le tenían sin cuidado las iras de su esposa.

—¿De quién es esa carta? —preguntó, señalando los dedos masculinos.

—De Nemie Lemaire —contestó Lawrence casi sin mover los labios, levantándose.

—¿De...?

—De Nemie, sí. ¿Hay algo raro en ello? Me da el pésame por la muerte de mi madre.

—Ya. Ha llegado un poco retrasada, pero en fin...

—Siempre es hora, y nunca es tarde para estas cosas, y para muchas otras... —terminó flemático.

—¿Te refieres a nuestro amor?

Lawrence la miró serio. Después distendió los labios y sonrió, sarcástico.

—¿Nuestro amor? ¿Es que ha existido alguna vez, Perla?

—En mi corazón, sí. Lo sentí por ti. Hoy ya no.

—Haces muy bien.

Perla dio un paso hacia adelante. Ya no era la joven arrogante y soberbia de otros tiempos. Sabía que tenía la batalla perdida. Conocía bien a Law... Este no se ablandaba ante nada ni ante nadie. Igual que amó a Nemie, así la odiaba ahora a ella. Y la odiaría siempre, siempre, como siempre amaría a Nemie aunque jamás llegara a ser suya. Era el ser más indiferente, frío e insensible que Perla había conocido jamás. Pero ella sabía que Law era insensible porque no la amaba. Con Nemie, por ejemplo, Law hubiese sido de otra manera, le hubiese dado la vida si Nemie la necesitara o simplemente se la pidiera. Y esto era lo que irritaba a Perla hasta lo inaudito.

No, ya no era la Perla de antes. Ni siquiera su belleza arrogante y desafiadora existía. Estaba marchita y agotada. Y su embarazo ponía sombra de precaria salud en su semblante. El médico le había dicho que era preciso guardar cama, reposar, alimentarse. Perla no reposaba, ni guardaba cama ni siquiera comía la mínima parte que una persona necesita para vivir. Pero Law no se preocupaba de nada. Al parecer le importaba un ardite la venida al mundo de su heredero, e incluso la falta de salud de la actual *lady* Cutlar.

—¿Adónde vas? —preguntó, yendo tras él.

—Creo que me vendrá bien realizar un viaje.

—¿A Londres?

Él dio la vuelta para mirarla.

—¿Por qué a Londres precisamente? No, me iré más lejos. Tal vez llegue muy allá, Perla. Lo necesito.

—Law…

—Ahora no me hables, Perla. Estoy aún muy afectado por la muerte de mi madre.

—¿Sólo por eso, Law?

—Tal vez no.

Ella suspiró hondo.

—Law, a veces te odio intensamente por tu dolorosa sinceridad.

—Me odias de todas formas, Perla. Creo que siempre me has odiado.

—Oh, no. Siempre no. Quizá ahora tampoco.

—Lo mismo da.

Aquella misma tarde, ella lo despidió en la terraza. El auto se hallaba detenido ante la escalinata de mármol negro, y Jim colocaba dos maletas en el asiento de atrás.

—¿Por qué no me llevas contigo, Law?

—Volveré pronto —dijo Law, besándola fríamente en la mejilla.

Perla, impulsiva, se colgó de su cuello y lo besó en la boca hasta hacerle daño.

—Te quiero, Law —susurró ahogadamente—. Te quiero aún. Te querré siempre. Perdóname.

Law la miró. Había en sus ojos una frialdad profunda, honda, terrible. Pero algo vio en los ojos de su esposa, porque aquella frialdad se diluyó y, asiéndola por los hombros, la atrajo hacia sí.

—Tranquilízate, Perla. Volveré pronto.

Y se fue.

Dos días después llamó por teléfono, inquieto por un sentimiento que no supo definir. Una doncella le dijo que *lady* Cutlar se hallaba enferma en el lecho y que a su lado había tres médicos.

Lawrence soltó el receptor y bajó precipitadamente las escaleras de su palacio de Londres. Subió al auto y, sin corbata, los zapatos aún desatados y con el traje gris de franela que se había puesto para realizar el viaje hasta París, empuñó el volante, y cuando llegó al castillo todavía tenía los dientes fuertemente apretados.

Pero todo fue inútil. Perla había muerto ya cuando él llegó.

—Lo siento profundamente, *lord* Cutlar —manifestó el médico de cabecera—. Le había advertido que viviera pendiente de sí misma. Estaba muy delicada. El niño nació muerto y antes de tiempo, por supuesto. Ha sido una gran desgracia, porque hubiera sido un niño fuerte y robusto. Lo siento mucho, *lord* Cutlar.

Lawrence dejó caer los brazos a lo largo del cuerpo. No sentía una gran tristeza ni pizca de alegría. Sentía únicamente que su hijo se había malogrado y pensaba que jamás tendría un continuador de su gran nombre.

Acompañó a Perla hasta el último instante, y cuando regresó a casa, después del entierro, dijo a Jim que preparase su equipaje para un viaje muy largo.

—¿Milord se marcha solo?

—Tú me acompañarás, Jim. Creo que te necesitaré.

Horas después, el auto, lleno de polvo, volvía a alejarse.

Y al cabo de dos días transcurridos sin que hubiera salido de su palacio de Londres, Lawrence, *lord* de Inglaterra, subía a un avión. Había leído muchas cartas de pésame de los antiguos habitantes del castillo. De Jusepp Lemaire, de Ketty, de Leonor... De Nemie ni una letra. ¿Por qué? Sonrió sarcástico y pensó que jamás volvería a ver a Nemie.

Diez

La fiesta había alcanzado todo su esplendor. Se celebraba en la regia morada de un grande de Inglaterra, y uno de sus muchos criados pronunciaba los nombres de los recién llegados, aquellos invitados linajudos y estirados que, tras estrechar la mano de los anfitriones, se perdían en el salón profusamente iluminado, o en las terrazas o simplemente permanecían allí, entretanto llegaba otro invitado.

Cuando el nombre de *lord* Cutlar fue pronunciado, una figura envuelta en gasas, esbelta, hermosa y delicada se estremeció perceptiblemente. A su lado, Max Wailand respingó.

—¿Ha dicho *lord* Cutlar, querida Nemie?

—Creo que sí, Max… ¿Por qué te excitas de ese modo?

Max era un muchacho rubio, alto, bien parecido. Tenía los ojos azules, de expresión humorística y simpática, y amaba a la hija de su gran amigo. La amaba mucho. Nemie lo sabía, todos lo sabían, pero a Nemie Max no le interesaba como hombre. Sólo como amigo, y esto producía un constante desasosiego en el pobre Max.

—¿Excitarme? —rió de buena gana entre vuelta y vuelta de vals—. Diantre, Nemie, he de confesar que des-

101

de aquella fiesta en que tú nos serviste unas copas y rompiste después toda la cristalera, no he vuelto a ver a Law. Y somos muy amigos, ¿sabes? Law y yo estudiamos juntos en Oxford. Nos quisimos entrañablemente, y yo me sentí decepcionado cuando anunció su compromiso con Perla y cuando después asistí a su boda.

Los ojos de Nemie, aquellos ojos pardos, profundos, se clavaron en la alta figura que se perfilaba en el umbral del salón. Sintió los ojos de Lawrence obstinadamente fijos en los suyos. Nemie experimentó algo, terrible, como si todo el pasado se precipitara sobre ella lastimándola, escarneciéndola. Pero ni un solo músculo de su rostro se contrajo y sostuvo aquella mirada sin que sus ojos se movieran; ni su boca sonrió ni su cara perdió su natural color fresco y lozano. Diríase que la figura de aquel hombre no removía en su corazón cosas pasadas, dolores, hondos callados y fieros.

—¿Por qué, Max? —preguntó, apartando los ojos de Lawrence y clavándolos, grandes y expresivos en la faz siempre sonriente de su pareja.

—Porque Perla no era la mujer que Law necesitaba. Y él lo sabía.

—¡Bah! Si se casó con ella era porque la amaba.

—¿Amarla? —y Max rió suavemente, apretando la mano femenina, aquella mano delicada, prendida en la suya—. Law nunca amó a Perla, Nemie. Nadie sabe a quién amó Law ni cuándo la amó, porque Law siempre ha sido un enigma para nosotros. ¿Quieres acompañarme? Vamos a saludarlo. Si de nuevo pisa los salones londinenses es que no tiene intención alguna de salir de la capital este invierno. Así pues, lo tendremos constantemente a nuestro lado.

—Ve tú, Max. A mí me harás el favor de permitirme salir un poco a la terraza. Veo allí a tu hermana y a mis amigas.

—Tú conoces a Law, Nemie. ¿Por qué…?

—Max, cuando yo conocí a Lawrence Cutlar era doncella de su casa. Como comprenderás, no es nada divertido ni halagüeño cambiar un saludo con un hombre al que serví.

—¡Qué chiquilla eres!

La acompañó hasta la terraza. Nemie sintió que unos ojos se clavaban en su espalda. Los sintió, sí, fijos y candentes, quemar su carne. Pero no se volvió para cerciorarse de ello.

Se ocultó en la oscuridad de la terraza y despidió a Max con un gesto delicado y familiar.

—Volveré luego, Nemie.

—No has de apresurarte, querido mío.

La fiesta de aquella noche le resultó pesada e interminable. Regresó Max al cabo de media hora, bailó de nuevo con él y después con muchos otros. Y la figura de Lawrence Cutlar permaneció siempre quieta e inexpresiva de pie junto a un ventanal, fumando constantemente. Unas veces solo, otras acompañado, pero Nemie pudo observar que ni bailó ni cambió de sitio. Era como si lo hubiesen clavado allí. Durante la velada, qué larga y monótona para Nemie, sintió continuamente los ojos masculinos clavados en ella, mas no pensó ni por un instante en retirarlos vencida cuando aquellos ojos se encontraban con los suyos.

Pero Lawrence Cutlar no se aproximó a ella aquella noche. Finalizó la velada y asistió en sucesivos días a muchas otras, mas el hombre que se había introducido en la vida de Nemie se abstuvo de acercarse a ella, aunque sus ojos seguían minuto a minuto todos sus movimientos.

Nevaba. Hacía mucho frío y una bruma espesa pegajosa caía sobre las calles. Nemie vestía un modelo de tarde, oscuro, llevaba un abrigo de pieles encima y un casquete sobre la cabeza, recogiendo graciosamente el brillo rutilante de su melena azulada. Siempre hacía el recorrido en auto, pero aquella tarde el vehículo se había averiado y no quiso coger el de su padre. Prefería hacer el camino a pie hasta el club donde la esperaban sus amigas. Sus ojos se clavaban obstinados en el suelo como si no pudieran apartarse de aquel pavimento pardusco, donde se mezclaban la nieve y el barro. Ahora casi no nevaba, pero la bruma era más espesa y los pasos juveniles se acortaron un tanto. Caminaba por la acera sin mirar a parte alguna. Mas de pronto, como si alguien se lo pidiera, elevó la cabeza, y una débil sonrisa de indiferencia entreabrió sus labios.

—Hola.

Estaba frente a ella. Vestía un gabán gris con cuello de piel. Un sombrero de fieltro negro sobre la cabeza, y las manos hundidas en los bolsillos. Una de aquellas manos donde lucía el gran solitario de la familia salió automáticamente y se tendió hacia adelante. Nemie hizo otro tanto con la suya, y los dedos se enlazaron con un apretón cálido y prolongado.

—Hola, *lord* Cutlar.

—No esperaba hallarla a usted hoy, Nemie.

—Ni yo esperaba encontrarle, *lord* Cutlar.

No había vacilación alguna en la voz femenina. Si acaso un leve temblor, tan imperceptible que sólo ella lo notaba. El hombre tenía los ojos clavados en la faz un poco pálida a causa del frío.

—¿Y su padre, Nemie?

— Perfectamente, *lord* Cutlar. Gracias.

—Un día de éstos me tomaré la libertad de hacerle una visita.

—Cuando usted quiera. Siempre será bien recibido.

—¿Y León?

—Está en Oxford. Es un chico aplicado y bondadoso. Lo recuerda muchas veces a usted.

—¿Por qué es bondadoso, Nemie? ¿Acaso no merezco que me recuerden?

Ella sonrió suavemente. Agitó la cabeza y dijo con suavidad:

—Todos le recordamos con frecuencia, *lord* Cutlar.

—¿Todos? ¿También usted, Nemie?

—¿Por qué no?

Él enarcó las cejas. Tenía aquella expresión indiferente y fría de siempre, pero algo, algo profundo brillaba allí, en la hondura de sus ojos. Mas Nemie no pensó en aquel instante en nada relacionado con el pasado.

—¿Puedo saber adónde se dirige?

—Al club. Me esperan allí mis amigas.

—¿Y Max?

—Vendrá más tarde, para acompañarme a casa después.

—Ya. —Una vacilación; luego…—: ¿Me permite que la acompañe hasta allí, o prefiere hacer el camino sola para que Max no se enoje?

Una rápida mirada y después Nemie caminó lentamente.

—Puede acompañarme, *lord* Cutlar. No me siento supeditada a nadie.

Él, en silencio, la asió del brazo. Lo hizo con naturalidad, como si fuera su costumbre y encontrara a Nemie todos los días en medio de la calle. Ella sintió un leve temblor profundo, pero breve. Los dedos de Lawrence presionaban sencillamente su carne, y Nemie cerró un instante los ojos para recordar un lejano pasaje de su vida. Los besos de Law en su boca estaban tan vivos como el día que se los dio. ¡Oh, sí! Aunque quisiera sustraerse a aquella gran verdad, no lograba conseguirlo, porque Law estaba allí, rozando su cuerpo con el de ella y apretando su brazo con ademán autoritario y posesivo.

—Yo creí que tendría que hacerle pronto un regalo de boda.

—En el supuesto de que me casara, ¿pensaba usted asistir?

—Por supuesto. Si me invitaba usted.

—No tengo buenos recuerdos de las bodas, *lord* Cutlar. Cuando me case, si lo hago algún día, creo que no invitaré a nadie. Él y yo solos, mi padre y Ketty...

—¿Personal hasta ese extremo?

—¿Por qué no? Lo he pensado muchas veces y lo haré así.

Caminaban lentamente, como si ambos, de mutuo acuerdo, quisieran hacer el camino más largo. Los dedos de Lawrence habían bajado del brazo hasta la mano femenina y ella no tuvo valor para desenredar los suyos. Él los apretó cálidamente y Nemie se estremeció bajo aquel contacto turbador con el cual había soñado durante todos los años de alejamiento...

—¿Con Max?

—O con otro al que ame.

—¿Quiere amar?

—Amaré.

—¿Cuánto?

—Mucho…

Los dedos de Lawrence se separaron. La miró desde su altura y sus labios se distendieron en una débil sonrisa un poco sarcástica.

—Hemos llegado, Nemie. No la retengo más porque pudiera ser que estos minutos los necesitara usted para amar… No se enfade —rió, amable—. En realidad siempre me dije que usted había nacido para el amor y para el placer. Es usted el tipo de mujer que inspira grandes pasiones y ternuras conmovedoras. Adiós, Nemie. No la molesto más. Iré a hacerles una visita un día de éstos. Espero que Jusepp Lemaire no se moleste al recibirme.

—Le esperarnos, Lawrence.

Se la quedó mirando con intensidad. Después fue hacia ella, apresó las dos manos enguantadas entre las suyas y, separando un poco el guante, se inclinó hacia adelante y posó sus labios en las palmas tibias y temblorosas.

—No me llame jamás *lord* Cutlar. Quiero que me llame Lawrence, Nemie. Y quiero ser su amigo. No sé si será una pretensión un poco atrevida por mi parte, pero lo ansío, ¿sabe? Ansío ser su amigo, aunque no pueda ser su paladín como Max Wailang.

Soltó las manos, y con paso seguro y rápido se alejó.

Once

Aquella tarde llovía torrencialmente. La nieve se había derretido, pero convertida en agua rodaba por las calles e inundaba las plazas.

Una figura masculina descendió de un lujoso vehículo. Aquella figura vestía de gris, gabán, traje y sombrero. Era alto y fuerte y tenía los cabellos muy negros. Miró hacia arriba y comprobó que había llegado al punto de destino. Ascendió por las escalinatas y pulsó un timbre. Inmediatamente se abrió la puerta y el rostro rugoso y sonriente de Leonor apareció ante los ojos del caballero.

—Milord...

—Hola, amiga mía. Me alegra volver a encontrarte, Leonor. ¿Y Ketty? ¿Cómo está mi querida anciana?

—Las dos bien, milord. ¿Y usted?

—Perfectamente, querida.

Leonor le hizo pasar.

Lawrence contempló el vestíbulo lujosamente decorado, y pensó que sólo una mano de mujer como la de Nemie podía tener tan exquisito gusto para adornar su propia casa.

—Quisiera ver a Jusepp Lemaire —dijo él—. Una visita amistosa tan solo. Sería un placer para mí estrechar su mano, Leonor.

Esta sonrió de una forma extraña. Era evidente que Leonor pensaba en aquel instante jugar una mala pasada a la señorita, ya que, inclinando la cabeza en son de asentimiento, murmuró:

—El señor no se halla en su casa, milord. Ha asistido a una reunión comercial e ignoro la hora de regreso. Mas le conduciré al saloncito de la señorita si usted lo desea.

—Primero harás el favor de preguntárselo a ella, Leonor —rió él con la misma sutileza.

—No será preciso, milord. Tenga la bondad de seguirme.

Leonor, tras ascender por la escalinata del vestíbulo, atravesó un pasillo largo y delicadamente decorado y, siempre seguida por el aristócrata, tocó con los nudillos en una puerta lateral.

—Pasen.

El arpegio de aquella voz siempre armoniosa produjo en Lawrence un sobresalto. Temía que la audacia de Leonor fuera demasiado lejos, y temía también ser mal recibido. Esperó como clavado en el suelo. La puerta fue franqueada y Lawrence Cutlar vio una figura femenina acurrucada sobre un diván. A su lado había un gato de Angora, y en la mesita la radio retransmitía una música tenue y dulzona. La chimenea estaba encendida y en la estancia se respiraba una atmósfera acogedora y grata. Fijó los ojos en la figura de Nemie. Vestía un pantalón azul, largo hasta media pierna. Calzaba simples chinelas, y el busto se hallaba aprisionado por un suéter blanco, que ponía de manifiesto las bien formadas líneas de su cuerpo, palpitante y joven. Al verlo a él, saltó bruscamente al suelo y su ceño se contrajo. Miró después a Leonor, pero ésta encogió los hombros, burlonamente.

—Debiste anunciarme la visita, Leonor —reprochó Nemie, casi sin abrir los labios.

—Perdóneme, señorita.

Nemie la fulminó con una mirada y, mirando a Law, sonrió dulcemente,

—Pase usted, Lawrence. Leonor continúa siendo tan indiscreta como siempre. Permítame usted que me retire un momento. Debo ponerme a tono con la visita.

Como Leonor ya había salido, cerrando la puerta tras de sí, Lawrence se apresuró a coger el brazo femenino.

—No es preciso, Nemie. Ello indicaría que soy una visita protocolaria y eso me desagrada. Además —siguió, sin dejar de mirarla—, está usted encantadora.

—Gracias. Es usted muy amable, pero debe excusarme un momento.

La mano de Lawrence bajó del brazo hasta los dedos femeninos. Los apretó casi hasta hacerle daño y dijo, con voz queda y persuasiva:

—Si me deja solo, me iré.

Ella sonrió, al fin, vencida. Se sentía intimidada a su lado y vestida de aquella forma casi íntima. Sabía, además, que con aquellas ropas masculinas sus formas se acusaban demasiado, y Lawrence la miraba, sí, la miraba larga e intensamente, como cuando la besó en la ventana…

—Siéntese en ese sofá junto a la chimenea —dijo toda apurada, sintiendo que el color le subía de súbito.

—Hace mucho frío y aquí se está muy bien.

Él se dejó caer en el muelle asiento que le ofrecían. Y Nemie se sentó toda modosita en el mismo diván que ocupaba cuando él llegó. Pero no encogió las piernas ni sujetó las rodillas con las aladas manos.

—¿Por qué no se sienta como antes? Voy a creer que soy un extraño para usted.

—Y es así en realidad, Lawrence.

— Me siento defraudado, Nemie. Yo creí que también era para usted un amigo del alma.

La joven sonrió. Era dulce y bella su sonrisa. Tenía los labios muy rojos y muy húmedos, igual que cuando él la besó en la ventana… ¿Por qué había recordado tanto y tanto aquel beso en el transcurso de los años, como si lo estuviera viviendo constantemente?

—Probablemente lleguemos a serlo.

Lawrence se puso en pie y se dejó caer a su lado en el diván, sin grandes miramientos. La música de la radio continuaba tenue y dulzona. Llovía torrencialmente y el agua, al chocar con los cristales, producía un ruido seco y metálico.

—Nemie, me gustaría serlo desde este instante —dijo, inclinándose hacia ella—. Me gustaría mucho. ¿Por qué no podemos serlo? Empezar ahora, Nemie, ¿comprende usted?

—Ya estamos empezando, Lawrence.

—Me gusta que me llame así, Nemie. ¿Sabes? Desde que murió mi madre nadie me llamó Lawrence.

El tuteo surgió casi sin que él se diera cuenta. No le pidió perdón ni rectificó y ello causó una gran emoción en la joven, que bajo aquellos ojos masculinos parpadeó nerviosa una y otra vez.

—Recibí tu carta, Nemie —continuó él quedamente, inclinado hacia ella, rozándola casi con sus labios y mirándola hondo, como si estuviera hurgando en su corazón—. Era corta, muy breve quizá, pero la más bonita de todas y la única que llegó a mi corazón.

—Yo la sentí así, Lawrence. Si no, no la hubiese escrito.

—¿La escribiste porque la sentías, Nemie?

—Por supuesto.

—Cuando no sientes una cosa no mientes, no dices que la sientes no sintiéndola, ¿verdad?

—Desde luego.

—Ya. Haces muy bien, Nemie. Nos parecemos. Yo tampoco puedo demostrar lo que no siento.

Ella pensó que sí había podido. Se casó con Perla jurando que la quería a ella. Y mintió o bien a ella o a Perla. ¿A cuál de las dos en realidad?

—A Perla —contestó él, como si penetrara en sus pensamientos.

Nemie dio un salto y se puso bruscamente en pie. Caminó hacia la ventana. Vestida con aquellas ropas se apreciaba mejor la mórbida esbeltez de su cuerpo. Lawrence cerró los ojos y quiso imaginar que estaban casados, que aquel salón les pertenecía a ambos y que aquella era la intimidad conmovedora y dulce que había esperado de la vida durante años y años.

—No hablemos de eso, Lawrence —pidió Nemie, apoyando la frente en el cristal del ventanal y mirando hacia la calle llena de agua—. Eso pertenece al pasado y yo estoy viviendo un presente. Todo aquello ha sido muy doloroso y no quiero recordarlo. Si usted quiere que seamos amigos, le ruego, le suplico, que no evoque una época muy amarga de mi vida.

Él estaba ya a su lado. Nemie sintió el aliento de fuego quemar su garganta. Sintió las manos masculinas en sus hombros. Duras, crispadas.

—Nemie, es un pasado que puede hacerse presente.

Ella se desprendió con rabia y se dirigió de nuevo hacia el diván. Lo miró pensativamente y dijo:

—Lawrence, si usted quiere ser mi amigo o mi paladín, como prefiera mejor, no queramos hacer de pasados presentes. Dice un refrán que nunca segundas partes fueron buenas. ¿Por qué no podemos ser buenos amigos, entrañables amigos?

—Bien. Sea como quieras, Nemie.

Ella se puso de nuevo en pie, al tiempo que Lawrence se dejaba caer en el sofá junto a la chimenea.

Nemie colocó su mano en la rodilla de Lawrence y sonrió encantadoramente.

—Así está mejor, amigo mío. Si me promete ser mi amigo, casi puedo tutearlo.

Las dos manos de *lord* Cutlar cayeron bruscamente sobre los hombros femeninos.

—Hazlo ahora mismo, Nemie. Ahora mismo.

—Perfectamente. Pero primero déjame arreglar los leños.

—¡Nemie!

Ella, inclinada hacia el fuego, ocultó su rubor. Las chispas rojizas saltaban alegres en derredor de su cabeza, poniendo colores irisados en su pelo. Lawrence la aprisionó por la cintura y le hizo dar la vuelta sobre sí misma, aún de rodillas.

—¡Nemie!

—Déjame, por favor…

—¡Oh, Nemie, Nemie…! ¡Tú sabes…!

La cabeza de Nemie cayó sobre las rodillas de Lawrence y éste se inclinó sobre ella.

—Tengo que besarte, Nemie. Una sola vez y luego me iré… ¡Una sola vez…!

Ella tenía los ojos muy abiertos bajo la boca de Law. Un solo movimiento y los labios se unirían. Pero unos pasos resonaron seguros y firmes en el pasillo y la joven se incorporó súbitamente, quedando de pie junto a la chimenea. Tenía los ojos brillantes y le temblaba la barbilla.

—Es mi padre, Lawrence —dijo bajito.

Él se puso en pie y la miró.

—Quiero que bailes conmigo esta noche en la fiesta de…

—Bailaré —atajó casi con violencia—. ¿Acaso puedo negarme?

—¡Nemie…!

Ella le dio la espalda y la puerta se abrió en aquel instante.

—Hola, Lawrence —saludó sencillamente Jusepp Lemaire. Miró luego a su hija y sonrió—. ¿He tardado mucho, querida mía?

—No lo he notado, papá. Estaba con Lawrence…

—Bien —miró a *lord* Cutlar—, dejemos a Nemie que se vista, amigo mío, y venga usted conmigo a tomar una copa. He de advertirle que le agradezco su visita y espero que no sea la última. Mi casa siempre está abierta para usted, Lawrence.

—Gracias, señor Lemaire. Espero que use usted de la mía con la misma libertad.

Era de noche y continuaba lloviendo.

Leonor abrió la puerta principal y Lawrence, seguido de la figura femenina, se deslizó hasta la terraza.

—Vas a mojarte —advirtió ella sin soltar aún su brazo—. ¿Por qué no te has quedado a comer como te rogó papá?

Leonor se había retirado de nuevo. La mano de Nemie se hallaba prendida en el brazo masculino y los dedos de Lawrence acariciaban la mano que confiadamente continuaba quieta y blanca.

—No quiera causaros molestias. Además, prefiero marchar para cambiarme de ropa. Te veré en la fiesta de esta noche.

—Entonces ven a buscarme.

—¿Y Max?

—Max nunca viene. Nos encontramos allí.

—¿Vas a estar con él, Nemie?

La joven encogió levemente los hombros. Vestía un modelo de tarde, bello y elegante, cuyo tejido ceñía sus formas con delicadeza. Lawrence le quitó la mano del brazo y pasó el suyo por la cintura estrecha.

—Dilo, Nemie. Sé valiente una vez más. ¿Vas a estar con él?

—Y contigo.

—No; tú sabes que no, ¿verdad? Sabes que yo tengo que ser solo.

—¿Solo? ¿Por qué?

—Nemie, tú sabes por qué.

Los dedos masculinos, nerviosos y duros, acariciaron la cintura. Ella se estremeció, pero continuó quieta, como si no se diera cuenta.

—Bien, bailaré contigo. Lawrence. Y bailaré también con él.

—¿Hasta cuándo, Nemie? ¿Hasta cuándo me vas a tener silencioso?

Ella retuvo la mano que audaz pretendía acariciarle ya la garganta y la apartó, oprimiéndola entre las dos suyas. Ambas figuras estaban muy juntas en la oscuridad de la terraza. El agua caía violenta, salpicando los pantalones de Lawrence y los delicados zapatitos femeninos.

—No hablemos de eso, querido. Ahora vete. Ven a buscarme en tu coche a las doce. Papá irá con nosotros.

Se miraron en silencio. Después, él dijo con voz tenue, inclinándose hacia adelante:

—Vendré a las doce, Nemie.

Fue una cosa tonta, inesperada. Ni él pretendía besarla ni Nemie esperaba el beso. Pero surgió súbitamente. Lawrence inclinó la cabeza, sus manos atrajeron el cuerpo flexible y la besó, y luego… Las bocas quedaron juntas. Él besó con suavidad primero, intensamente después. Nemie quedó quieta, con los labios entreabiertos.

—No me riñas —susurró él, deslizándose suavemente hacia la escalinata.

Ella quedó allí, muda, absorta. Y le pareció que de la lejanía llegaba el rasgar de la guitarra de Jim, y que, a su lado, muy junto a ella, había una ventana y Lawrence estaba al otro lado, jurándole que era la única mujer de su vida.

Doce

—Nemie, nunca has querido que fuera a buscarte a casa y, no obstante, hoy has venido con *lord* Cutlar…

—No hablemos de eso, Max.

—Y si no soy atrevido y te pido un baile, hubieses seguido con él, ¿verdad?

—Por favor, Max…

—Yo te quiero, Nemie. Tú sabes cómo y cuánto te quiero. Estuve esperando como un idiota durante años y años. Y ahora…

—Max, te pido por favor que no hablemos de mí ni de ti ni de… ni de él. Vivamos como hasta ahora. Tú sabes que yo no puedo casarme contigo porque amo a otro. Nunca te engañé.

—¿Y quién es ese otro, Nemie? —preguntó Max, desalentado.

—Lo sabrás cuando me case, Max. Si me caso será con el hombre de mi vida. Si no, ni tú ni otro conseguirán hacerme olvidar aquel amor.

—Está bien, Nemie. ¿Quieres tomar algo? ¿Quieres salir a la terraza o prefieres que te deje sola?

Sonrió con ternura. Max era demasiado bueno y ella no lo merecía. ¡Pobre Max! Se colgó de su brazo y dijo quedamente:

—Llévame a tomar algo, Max. No quiero que me dejes sola.

«Él» andaba por allí solo y desorientado. No lo vio bailar con nadie, ni siquiera con ella. Habían llegado juntos y, después, él la dejó en compañía de Max… Observó que lo asediaban otras mujeres, pero Lawrence era suyo, suyo…

Cruzó el salón colgada del brazo de Max, y al pasar junto a él extendió la mano.

—Ven, encanto —susurró bajito—. Acompáñanos.

Estaba gentilísima. Vestía un modelo de noche negro, sencillo, sin complicaciones. El mismo hilo de perlas adornaba su garganta, y había una mirada diáfana en los ojos que tan pronto miraban al Max simpático como al Lawrence ceñudo.

Una mano descansaba plácidamente en el brazo de Max; la otra descansaba en el brazo de Lawrence. Pero aquellos dedos se movían nerviosos e inquietos, como si la agitara algo indefinible. En uno de aquellos movimientos Lawrence bajó los ojos hasta la mano blanca y la apretó con la suya. Y ella lo envolvió en una larga y profunda mirada de dulzura.

—¿Es que no bailas, Max? —preguntó *lord* Cutlar, impaciente—. Si no lo haces voy a llevarme a tu pareja. Te la devuelvo en seguida.

Max sonrió burlón.

—Los dos lo estáis deseando, amigos. ¿Por qué me lo decís? No merece la pena. Además, Nemie acaba de decirme que no se casará conmigo jamás.

Nemie se soltó rápidamente de Lawrence. Quería a Max, lo quería como si fuera su propio hermano y le dolía que Max sufriera por su causa. Pero, ¿qué podía hacer ella si amaba a Lawrence con amor de mujer?

—¿Estás enfadado, Max? —susurró, mirándolo de cerca.

Max cerró los ojos y después sonrió con dulce ironía.

—Acabo de saber cómo me quieres, Nemie —repuso sin mirar a *lord* Cutlar, que tenía los labios contraídos—. Acabo de comprender muchas cosas y acabo de recordar otras. Mira tú si seré tonto, querida, pero en este mismo instante he creído ver en el suelo una bandeja rota, llena de trozos de cristal.

—¡Oh, Max…!

—Bueno, me voy con aquella rubia. Adiós, Law. Eres el hombre de la fortuna.

Nemie intentó ir detrás de él, pero la mano de Lawrence la enlazó por el talle.

—Vamos a bailar este fox lento, querida mía…

Nemie, con los ojos muy abiertos, se dejó llevar. Notaba que Lawrence la oprimía contra él con ternura y violencia a la vez, pero no protestó. ¿Para qué? ¿Podía ella protestar de nada que hiciera Lawrence?

—Nemie, ¿has recordado alguna vez aquella bandeja rota?

—Sí.

—¿Amargamente?

—Sí.

—¿Nunca con dulzura?

—Nunca.

Los labios de Lawrence rozaron la mejilla satinada. Ella no se retiró. La sacudió un temblor y los brazos de él la oprimieron con mayor intensidad.

—¿No me dejas hablar, Nemie?

—No.

—¿De veras?

—De veras, Lawrence.

—¿Ni siquiera recordar a tus pobres de los jueves?

—No quiero recordar.

—¿Y si llegara ahora y te dijera que íbamos a empezar por primera vez?

—No hablemos de eso, Law…

—Entonces, ¿vas a tenerme callado siempre, siempre? Ella elevó los ojos y sonrió.

—Bailemos, cariño. Bailemos tan sólo. Llévame como quieras en tus brazos, pero guarda silencio.

—¿Por qué?

—Porque lo necesito, ¿sabes? Necesito que no me hables ahora. Soy apasionada por el baile y me gusta concentrarme en él.

Ella, instintivamente, se apretó contra él y la mano acarició la nuca de Law.

—No es eso, Nemie.

—Siempre has sido un caballero delicado y amable, cariño. ¿Por qué no lo eres ahora conmigo?

Él la soltó con violencia y la arrastró hacia un ventanal. Se apoyó cara a la noche y Nemie lo hizo a su lado.

—¿Qué te pasa, Law?

—Nada, Nemie —dijo, haciendo un esfuerzo y pasándose la mano por la frente—. No me pasa nada extraordinario. Me pasa lo que tenía que pasarme, lo que le hubiese pasado a cualquier hombre más ecuánime que a mí, cuando más…

La mano femenina apretó los dedos nerviosos de Law.

—No me seas niño. Ven a bailar. Quiero bailar contigo, Law. Bailar hasta caer rendida.

Los ojos de Law estaban obstinadamente clavados en el jardín inundado de agua.

—¿Me has oído, Law?

—Perfectamente, Nemie, Pero no bailaré. Me voy, Nemie. Me voy a casa.

—¿A casa? ¿Y me dejas?

—Sí, te dejo.

—Pero, cariño…

Él asió las manos de Nemie y las apretó desesperadadamente entre las suyas; luego las llevó a los labios y las besó en las palmas temblorosas.

—No puedo continuar un minuto más a tu lado, Nemie. Quédate con Max. Yo… tú no puedes comprender. En fin…

—Pero, Law…

—Adiós, Nemie. Quizá vaya a hacerte una visita mañana.

—Tienes que explicarme, Law. Esta actitud tuya es inadecuada, impropia de ti.

Él agitó la cabeza y sonrió con los labios casi juntos.

—No me comprenderías aunque te explicara, Nemie. Déjame marchar. ¿Sabes? No puedo continuar bailando contigo. Esa es la verdad, la absoluta y absurda verdad.

Estaba sola en el saloncito. Había nevado durante toda la semana y el frío era intensísimo. No tenía deseo alguno de salir de casa.

Una semana entera sin ver a Law. Una semana en que él se había abstenido de ir a su casa, de frecuentar salones ni clubs, como si lo hubiera tragado la tierra. ¿Acaso se había ido al castillo? No. Ella sabía que Law no podría ir allí, donde sólo sufriría al recordar.

Sintió pasos y no se movió. ¿Para qué? Leonor, que seguramente llegaba para regañarla porque no salía. O Ketty, que venía a preguntarle cualquier tontería. Muda y absorta, con los ojos clavados en las llamas de la chimenea, pensó de nuevo en Lawrence. ¿Por qué no venía? ¿Qué le había hecho ella?

Se abrió la puerta.

—Hola.

De un salto se puso en pie.

—Law… —gimió, casi sin voz.

Él avanzó lento. Ella le esperaba de pie junto a la chimenea, con los ojos muy abiertos y los labios apretados.

—¿Qué ha sido de tu vida? —preguntó ella, al fin.

—Como tú, he tenido frío y no salí de casa.

—Quién te condujo hasta mi saloncito particular?

—Nadie. Me abrió Ketty, la besé, ella lloró un poco, suspiró y yo le dejé el abrigo y el sombrero para que se secará el llanto. Después eché a andar. Aprendí bien el camino la primera vez que estuve aquí.

—Ya sé que eres muy inteligente.

Law ya estaba a su lado. Sólo tuvo que extender un poco los brazos y el cuerpo de Nemie quedó incrustado contra el suyo.

—¿Y bien…?

—Law, eres odioso —suspiró Nemie, colgándose de su cuello—, Odioso, odioso…

—Y tú eres deliciosa, deliciosa, deliciosa.

—Law…

—¿Qué?

—¿Por qué no has venido antes? ¿Por qué me hiciste esperar tanto?

—Nena, pero ¿me esperabas tú?

—Oh, Law, cuánto has cambiado estos días.

—¿Si?

—Law...

—¿Qué?

—¿No me das... no me das...?

Ella se apretó contra él, se empinó sobre la punta de sus pies y susurró quedamente, con intensidad:

—Nada, Law. Te lo voy a dar yo.

El cuerpo del hombre quedó tenso. Esperó. Fue sólo un segundo. Los ojos de Nemie ahondaron en los suyos y, después, los labios húmedos y rojos de Nemie se aplastaron contra los de él. Law la envolvió en sus brazos, la estrechó vehemente y luego la besó a su vez hasta hacerle daño.

—Law...

—¿Qué pasa, Nemie?

—Me has lastimado.

—Y te lastimaré muchas veces Nemie, para luego ahuyentar el dolor con mi ternura. Oh, Nemie, Nemie, cuántas horas de mi vida pendientes de este segundo. Y cuántos días y cuántas noches esperando un beso de tu boca.

—¿Y ahora?

No la dejó concluir. Más tarde la llevó hasta el diván y, envuelta en sus brazos, le preguntó:

—Dímelo de una vez, Nemie.

—¿Acaso tengo que decirte algo?

—Oh, sí, y tú lo sabes.

—No, no lo sé.

—Nemie...

Ella enredó sus brazos en torno al cuello de Law y susurró apasionadamente, con impetuosidad extraordinaria en la ecuánime señorita Lemaire:

—Te quiero, te quiero, te quiero, ¿sabes? Con el alma, la vida, los sentidos y el corazón, pero te quiero para vivir y morir junto a ti toda la vida y aun allá en la Eternidad.

Epílogo

Los menudos pasos de Ketty se oían de nuevo arrastrando sus zapatillas por los largos pasillos del castillo de Cutlar. Y la voz atiplada de Leonor se oía chillona y enojada en la cocina. Había una cocinera de rostro embetunado que regañaba con Leonor a cada instante. Pero tanto Leonor como Ketty eran felices. Allá arriba, en el segundo piso, sonaba la voz armoniosa de una *lady* esbelta, frágil y enamorada. Y el tono bronco y tierno a la vez de un *lord* Cutlar feliz y satisfecho. Jusepp Lemaire caminaba por los jardines con las manos tras la espalda, contemplando los lugares por donde había caminado antes con Alicia. Y medía y contaba los pasos, y volvía a retroceder y a recordar, y una diáfana sonrisa iluminaba súbitamente el rostro serio y adusto. Y por las tardes, con un ramo de flores en la mano, subía la empinada cuesta y llegaba al cementerio. Y allí, quieto y callado, rezaba por ella. Por aquella mujer que había muerto dejándolo desolado, desorientado y solo.

En la cámara de Nemie oyose aquella mañana una voz armoniosa y breve.

—Cariño…

Un rostro chorreando agua asomó por la puerta del baño.

—¿Tanto me necesitas?

Corrió hacia él y sus labios, al besar el rostro alegre, bebieron el agua fresca que resbalaba por las mejillas del Tarzán.

—A cada instante y tú lo sabes.

La rodearon los brazos desnudos y la levantó en vilo, depositándola luego en el diván.

—Law, cariño mío. ¿Estás contento? Hace justamente dos meses que nos casamos. ¿Te hice feliz?

—¿Y me lo preguntas? ¿Acaso no estuve enamorado de ti toda la vida? ¿Por qué crees, pues, que deseaba enterrarte en la nieve?

—¿Por qué? —susurró, apretándose contra Law y posando sus labios en un lado de la boca de él—. Dime, ¿por qué?

—Porque siendo niña ya me tenías prisionero.

—Law, ¿sabes? Quiero tener un heredero.

—Tendremos muchos, Nemie. Todos los que Dios nos dé.

—Es que… ¿sabes? Me han anunciado que el primero iba a llegar.

El hombre lanzó un grito ahogado, la enredó en las cálidas cadenas de sus brazos y la besó hasta dejarla sin respiración.

—¡Salvaje!

—Nemie, ¿te das cuenta, muchacha? ¿Sabes lo que dices?

—Claro que sí, Law. Llamé al médico ayer tarde, cuando tú saliste con papá… Y me lo dijo.

—¿Y lo ocultaste hasta ahora?

—Me hiciste sufrir mucho, Law, querido. Tenía derecho a la revancha.

Él le acarició el cabello, los ojos, la garganta y después, muy despacio, la besó en la boca.

—Deliciosa revancha, milady querida.

—Law, ¿de verdad me quieres tanto?

Él elevó vivamente la cabeza, la miró larga e intensamente y dijo casi sin voz, con sus labios muy juntos a los de Nemie:

—Para siempre y con toda el alma, milady. Pero cuando estamos aquí, en nuestra alcoba, quiero que sepas que sólo somos un hombre y una mujer para quererse hasta la muerte y toda la vida.

—Toda la vida, Law. ¡Toda la vida un hombre y una mujer!